新世界秩序と日本の未来

米中の狭間でどう生きるか

内田 樹
Uchida Tatsuru
姜尚中
Kang Sang-jung

序論——世界史を動かす舞台としての東アジア

姜尚中

未曽有のコロナ禍を経た二〇二〇年代が、「新世界秩序」とでも呼ぶべき大変革がもたらされつつある時代だということは、恐らく論を俟たないだろう。米ソ冷戦後の世界を席巻してきた市場万能のグローバル資本主義が機能不全に陥り、アメリカが掌握していた世界の覇権も揺らぎつつある中、今や超大国となった中国の存在感は増す一方である。この米中の対立がコロナ後の国際情勢を左右することは間違いないだろう。

両者の覇権抗争はいったいどこへ向かっていくのか。その帰趨も本書の主要なテーマであるが、まずはこのふたつの超大国の対立が人類史的にどのような意味を持っているのかについて、あらかじめ私の見立てを少し述べておきたいと思う。

それは一言で表せば、近代史上初めて、世界史の舞台の中心に東アジアが浮上してきたということである。「東アジア」と書いたのは、私が念頭に置いているのは必ずしも中国だけではないからだ。今後、台湾、朝鮮半島、そして日本を含むこの地域こそが、世界の行方を左右する鍵を握ることになる、というのが私の展望である。これは決して大げさな話ではないはずだ。

東アジアが世界史的な舞台転換の主役となりつつある現状を分析する上で参考になるのは、地政学的な観点である。地政学と言えば、客観的な学問というより、むしろ超大国のパワーポリティクスやその戦略と結びついたイデオロギーとしての色彩が濃厚だという側面もある。だが、それでも地政学の祖とも言われるハルフォード・ジョン・マッキンダー（一八六一～一九四七）が提唱した「ランドパワー（大陸国家）」と「シーパワー（海洋国家）」という概念を用いることで、大まかな見通しが開けてくることは否定できない。現在の米中対立は、総じて言えば、「シーパワー」であるアメリカと「ランドパワー」である中国の覇権争いと見ることができる。ただし、この状況は、世界が東西に二分された米ソ冷戦時代よりは、むしろいくつかの主要な勢力が世界政策の対立をめぐって衝突に至った第一次・第二次世界大戦の状況に似ていると言えるだろう。

たとえば、第一次世界大戦は「ランドパワー」のドイツと「シーパワー」であるイギリスの間での、地政学的な世界戦略同士の衝突だったと読み解くことができる。ドイツ皇帝ヴィルヘルム二世によって提唱された3B政策は、首都ベルリン（Berlin）・ビザンティウム（Byzantium、現イスタンブール）・バグダード（Baghdad）を鉄道で結ぶという、一九世紀末以来のドイツ帝国を貫く長期戦略であった。これに対し、イギリスがエジプトのカイロ（Cairo）・南アフリカのケープタウン（Cape town）・インドのカルカッタ（Calcutta、現コルカタ）を鉄道で結ぶ3C政策を推進していたことは周知の通りである。この3B政策と3C政策の激突は、一九一四年六月にサラエボで放たれた一発の銃弾によって、人類史上初の総力戦へと繋（つな）がっていった。

では、第二次世界大戦はどうだったか。日本では、ナチス・ドイツに抗したイギリスや、あるいはアメリカの参戦の印象が強いが、第二次世界大戦の雌雄を決したのは、やはり対ソ戦でドイツが全面敗北に追い込まれたスターリングラードの戦い（一九四二〜一九四三年）だろう。この激戦によって甚大な痛手を被ったナチス・ドイツ軍は劣勢へ追い込まれ、枢軸国側（日・独・伊）の敗北が決定づけられる遠因となった。非常に単純化して言うならば、第二次世界大戦とは結局、ドイツとソヴィエト連邦（ソ連）という、ユーラシア大陸におけるふたつの「ランドパワー」同士の対立であったとみなすことができる。

一九世紀後半から第一次世界大戦、第二次世界大戦にかけての人類史の主要な舞台はヨーロッパであり、東アジアを含めたアジアはいわば、その外縁部か周辺部と位置づけられてきたのである。日本では三一〇万人もの戦没者を生んだアジア太平洋戦争も、世界史をその中心で動かす「主役」とはなり得なかった。しかし、このように近代史において世界の係争の中心から外れてきた東アジアが、ここに来て初めて地政学的舞台転換の中心に躍り出ようとしている。我々はそのことを強く意識しておくべきである。

日本に突き付けられた「究極の選択」

第一次・第二次世界大戦期を生きたイギリス人として、マッキンダーは「シーパワーであるイギリス」の世界戦略とその道行きを基軸に置き、地政学の概念を展開していった。彼の主張は「二〇世紀の世界はランドパワーによって制される。ゆえに、イギリスやアメリカのような西側諸国のシーパワーが団結し、ランドパワーを封じ込めることが必要である」というものであり、そのために彼が導き出した戦略が「ハートランド（ユーラシア大陸の中核地域）」を押さえる、というものであった。

奇しくも、習近平が陸路と海路で中国とヨーロッパを結ぶ一大経済圏を形成するという「一帯一路」構想（第三章で詳述）に初めて言及したのは二〇一三年、カザフスタンを訪れたときのことである。カザフスタンはユーラシア大陸の中央アジア地域に広がっており、ステップ地帯の中心部に位置する国だが、ここはまさにハートランドの領域に相当している。つまり、「一帯一路」の「陸のシルクロード」にあたる、西安からウルムチ（新疆ウイグル自治区）、カザフスタン、モスクワ（ロシア）を経てベネチア（イタリア）へと至る経済圏とは、マッキンダー的に言えば「ランドパワー」である中国が「ハートランド」を押さえるための回路だ、という構図になるだろう。

一方、マッキンダーの地政学を受け継いで発展させたアメリカの政治学者ニコラス・スパイクマン（一八九三〜一九四三）は、カムチャツカ半島から朝鮮半島、東南アジア、インド、中東、北西ヨーロッパ、そしてスカンジナビア半島までを含むユーラシア大陸の三日月型の外周部分を「リムランド」と名付けた。そして、人口稠密で様々な勢力が割拠するこの地域を掌握した国こそが、いずれハートランドの行方も決定すると論じている。これは、マッキンダーのハートランド理論を逆転させたものと言えるだろう。「一帯一路」の「海のシルクロード」はまさに東シナ海からヨーロッパに至る三角地帯であり、ほぼリムランドに相当する。地政学を国家戦略の主軸に据えてきたアメリカにとって、習近平が打ち出した「一帯一路」構想はまさしく、ユーラシア大陸のハートランド（中核部）とリムランド（周縁部）の双方を中国の色で染め上げるビジョンだと受け止められたのではないか。

ハートランドとリムランド

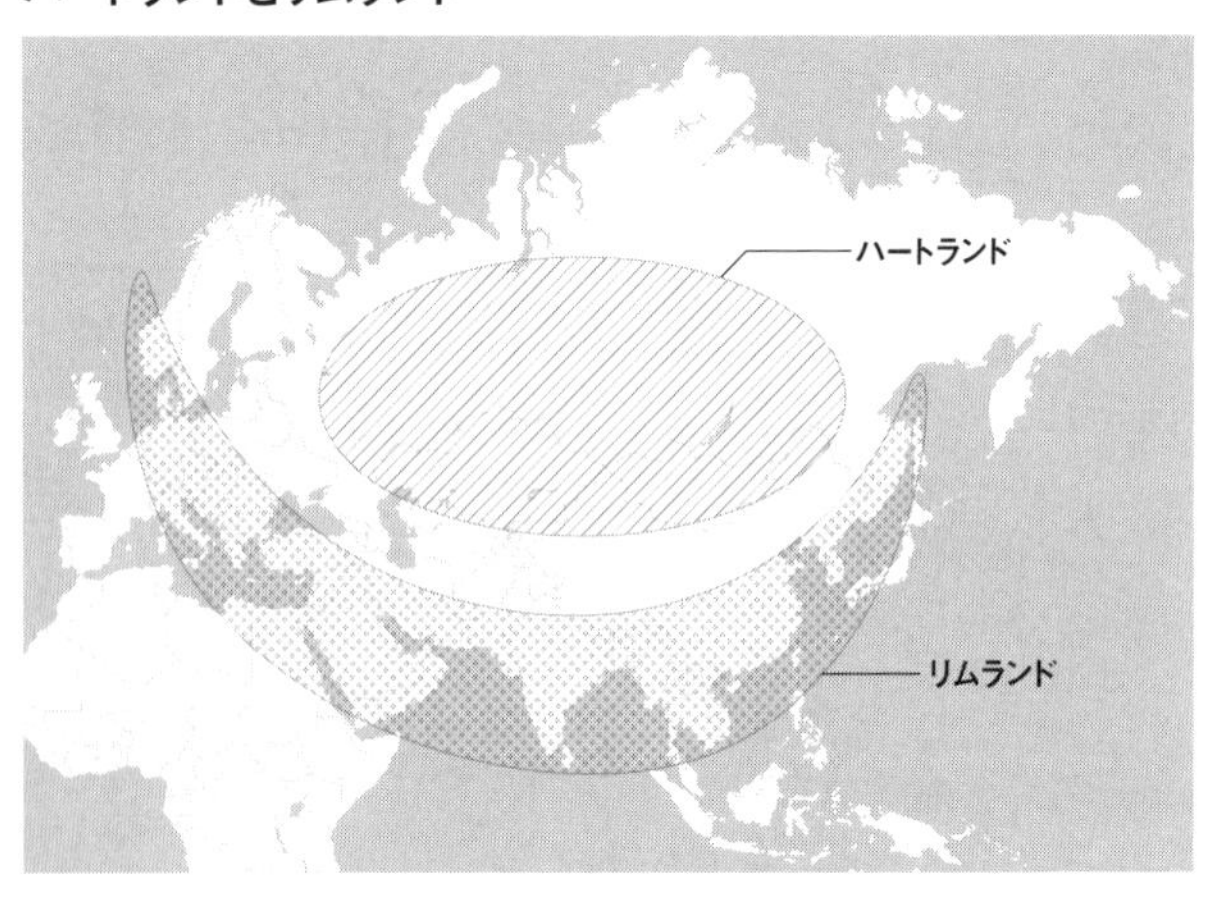

中国の台頭を意識して安倍晋三総理が二〇一六年に提唱した「自由で開かれたインド太平洋」、また第一次安倍政権の頃から言われるようになった「自由と繁栄の弧」も、おそらくスパイクマンのリムランド理論を念頭に置いた概念だと思われる。中国の「一帯一路」構想における「一路」になんらかの楔を打ち込むために浮上したのが、リムランドの中枢としての「インド太平洋」という地政学的概念であり、東アジアはいわばその端にある「主戦場」との位置づけになった。かつてスパイクマンは、「リムランドにおける対立は世界的戦争に繋がりかねない」と警告を発したが、現在まさに台湾や朝鮮半島、香港、尖閣諸島で生じている様々な軋轢は、これら

の地域がスケールの大きい、しかも濃密な地政学的対立の前線を形成していることと決して無関係ではないはずだ。

その中でも最前線に立たされているのは台湾であり、台湾が半導体をめぐる世界の戦略的な拠点であることも相まって、これからさらに深刻な対立点となる可能性は高い。事実、冷戦たけなわの一九五八年、中国が台湾の金門島に砲撃を加えた第二次台湾海峡危機に際して、当時のアイゼンハワー米政権が中国本土への先制核攻撃を検討していたことはよく知られている。同じような危機が再現された場合、米中は果たしてどのような対応を見せるのだろうか。

他方、朝鮮半島においても、かつて朝鮮戦争に際してトルーマン米政権下で朝鮮半島と中国への核兵器の投下が検討されたこともあった。以来、アメリカの核の脅威に対して同じく核によって対抗しようとする北朝鮮の核戦略は、長距離弾道ミサイルの開発とともに、米本土をも巻き込む形で東アジア全体の脅威となりつつある。とはいえ、地政学的にはリムランドであると同時にハートランドへと繋がる入り口でもある朝鮮半島は、米中が直接激突する地政学的な対立の争点というより、むしろ両者の地政学的な「陣取り合戦」の焦点になっていくと思われる。その帰趨は南北関係の推移と連動して、東アジアに劇的な変化をもたらすことになるかもしれない。

　こうした状況下で最大の問題は、東アジアにおける地政学的対立の前線で米中が衝突するとき、日本はどちらの側に立つのか、ということである。これは、明治以来、欧米を中心とするウェストファリア体制（第三章参照）のいわば「極東代理店」支店長となることを選び取ってきた日本にとって、現代版「脱亜入欧」を決め込むべきかどうか、という大きな選択を迫るものだと言えよう。

　アメリカを中心としたG7のメンバーである欧米諸国は、対中国のもとで「シーパワー」陣営（海洋国家連合）を形成し、オーストラリアもそこに加わろうとしている。日本は現在、日露戦争当時の日英同盟を彷彿とさせるかの如く、イギリスとの軍事協力を模索しているように見える。イギリスが同国海軍史上最大級となる空母クイーン・エリザベスを中心とした艦隊を極東へと派遣し、日本にも寄港すると発表しているのは、そのひとつの表れである。だが、もし日本が完全に「シーパワー」の国々と歩調を合わせるとすれば、経済面も含めて、中国側からの甚大なリアクションを背負い込む結果となることは避けられないだろう。米中対立の狭間で、日本はぎりぎりの「瀬戸際」に立たされているのではないか。

こうしたジレンマを抱えているのは、中国を最大の貿易相手国とする韓国も同様である。しかし、日本との決定的な違いは、朝鮮半島が南北分断を強いられている以上、韓国は北朝鮮に大きな影響力を持っている中国にあからさまに敵対する選択を取ることはできないということだ。つまり、もし日本が「シーパワー」陣営に全面的に加わるとすれば、朝鮮半島というバッファー（緩衝地帯）を前提とすることができなくなり、米中対立の最前線は三八度線から玄界灘（げんかいなだ）へと、一気に後退せざるを得なくなるのである。

私は、こうした状況下で日本が安易に「シーパワー」の側につくことは自殺行為にもなりかねないと危惧しているが、そもそも、日本にとっての選択肢は、単に米中のどちらにつくかという二者択一ではないはずだ。日本や韓国のような中規模国家が米中というふたつの超大国に挟まれつつ、それでも生き残るための「第三の道」は必ず存在するからである。たとえば、韓国は今、「新南方政策」という名の下に東南アジアとの関係を重視する方向へシフトしつつあるが、これはそうした「第三の道」を模索する動きだと言えるだろう。日韓関係が行き詰まって久しいものの、共に米中対立の狭間にある日韓が連携し、東南アジア、さらにはインドを巻き込みながら、東アジアのハートランドとリムランドをめぐる地政学的な対立を緩和するような回廊をつくることは、ひとつの突破口となるのではないだろうか。

対米重視という立ち位置は守りつつ、日本はまだ全面的に「シーパワー」陣営への加入へと舵を切ってはいないように見える。これからの一〇年、二〇年の東アジアが、そして世界がどのように動いていくかは、日本の選択に負うところが非常に大きい。いまだかつて、日本がこれほど重い役割を担ったことはなかったと言えるかもしれない。だが、今の日本政府にこのような大きな決断を要する選択を委ねられるのか、強い不安を感じるのは私だけではないだろう。

大恐慌後に起こる国家と社会の構造的転換

米中の対立を読み解く上では、一九三〇年代の歴史を振り返ることも有用である。なぜならば、この時代に起こった国家と社会の構造的な大転換は、コロナ禍の現在、まさに進行しつつある劇的な変化と相似形をなしているように思われるからだ。

一九二九年のニューヨーク株式市場での大暴落に端を発した大恐慌に直面し、世界の主要国のうち日・独・伊はファシズム的な体制、ソ連はスターリン主義的な計画経済の道、そして米国はフランクリン・ルーズベルト大統領の下、ニューディール型の資本主義体制を選択した。この三つの選択肢に共通していたのは、ハンガリー出身の経済学者カール・ポラニー（一八八六〜一九六四）が一九四四年に主著『大転換』で喝破したように、これらは体制やイデオロギーの違いこそあれ、いずれも一九世紀後半以来の自由主義的な「自己調整型」市場経済の崩壊から立ち現れてきた、「国家主導型」の経済再生だったということである。

その後、第二次世界大戦を経て、こうした国家主導型経済のうち、ファシズムは敗戦によって消滅した。ニューディール型の資本主義経済体制は戦後の西側諸国のモデルとなったが、一九八〇年代になると、イギリスのサッチャー政権やアメリカのレーガン政権によって、市場を万能とする新自由主義経済が推し進められていく。さらには米ソ冷戦終結によって、こうした新自由主義経済は世界を席巻し、それとともに社会に介入する国家の役割は減退していった。だが、グローバル化の掛け声の陰で、自然災害や政変などの大惨事につけこみ、途上国や新興国に強引な形で市場万能型資本主義が導入されてきたことは、カナダ人ジャーナリストのナオミ・クラインがその著書『ショック・ドクトリン』（二〇〇七年）で告発している通りである。

ポラニーは、すでに七〇年以上前に自己調整型市場が孕（はら）むリスクを指摘し、そのグローバル化を「ユートピア」幻想にすぎないと批判したが、ポラニーの慧眼は二一世紀の今の状況を見通していたと言えるだろう。すべてが自己責任に基づく市場経済のメカニズムに委ねられた結果、極端な格差の拡大や地球環境の破壊など、様々な綻びが生じているのは、すでに誰の目にも明らかである。

　そうした三つの選択肢の中で少し異なる展開を見せたのが、計画経済の道であった。一度はソ連の消滅で潰え去ったかと思いきや、共産国家・中国の中でスターリンの亡霊は生き続けた。そして鄧小平の改革開放路線を経て、現在の「社会主義市場経済」、いわば国家が主導し管理する資本主義という形に変容していったのである。コロナ禍という世界的危機の中、人々の生存すら保証できない新自由主義グローバル経済の無力さが露になった一方で、中国型の国家資本主義、つまり国家が主導し管理する資本主義がまったく新しいモデルとして台頭し、世界の資本主義の中で巨大な役割を担いつつある。

　一九三〇年代、世界的な大恐慌で疲弊した社会を再生する最後の拠り所となったのは国家であり、国家は大きなアルキメデスの点（絶対確実な究極的根拠）となった。そして今や再び、コロナ・ショックによる大恐慌の予感の中、生命と財産を死守するための最後の望みが、国家の強化とその役割の拡大に託されている。

最も顕著な例は、アメリカのバイデン政権が実施した累計で約二〇〇兆円という巨額の財政出動だろう。本書の対談でも指摘されているように、これはベーシックインカムに近い、ある種の社会主義国家の手法である。つまりアメリカは、かつてのニューディールを彷彿とさせる国家管理型資本主義へと方向転換しようとしているのである。こうした動きは、数年前であれば経済学者たちから「正気の沙汰ではない」と一蹴されたはずだ。しかし、まさにアメリカが旗振り役となって進めてきた市場万能型資本主義における資本の無限大の拡大が、反転して国家による管理統制によってキャップをはめられようとしているのであり、これは巨大なパラドクスと言える。

　これからはアメリカと中国が世界の二大国家管理型資本主義として対峙していくと同時に、コロナ禍でグローバルな人や物の移動が制限されるなど、世界中で国家管理型体制が加速することが予想される。そうした状況において、その国が成熟した民主主義を前提とする「強い社会」なのか、あるいは国家の専横になすすべもない「弱い社会」なのかは、その国の運命を決定づける大きな分かれ道となるはずである。

「強い国家」に呑み込まれないために

ここで状況をわかりやすくするために、仮に次のような図式を設けて整理してみたい。

Ａ「強い国家」と「弱い社会」（独裁政権等の専制国家）
Ｂ「弱い国家」と「強い社会」（成熟した民主主義国家）
Ｃ「強い国家」と「強い社会」（社会が国家を信頼し、非常時などに私権の制限を許容する）
Ｄ「弱い国家」と「弱い社会」（社会が国家を信頼できず、また国家も社会を統制できない）

言うまでもなく、現在の中国が突き進もうとしているのはＡの道であり、これはかつてのファシズムやスターリン主義的な国家を彷彿とさせる、強圧的な「強い国家」の方向性である。アメリカは、米中対立の構図を「民主主義」対「専制主義」という、きわめて単純化された二元論に落とし込み、「正義は我々の側にある」と主張していくことになるだろうが、世界第二位の経済大国へと躍進を遂げ、コロナ・パンデミックを「制圧」した中国の成功例に、今や説得力を感じる国々も少なくないのが現実である。

これに対し、たとえばドイツは本来、Ｂの「弱い国家」と「強い社会」の組み合わせであり、国家は常に「強い社会」の側から規範や制度の足かせをはめられていた。にもかかわらず、コロナ禍では国家が強大な権限を行使し、強力なロックダウンなどで国民の私権を制限しているが、これはあくまで「強い社会」から権力を例外的に委任されたものであり、一時的にＣのパターンとなっているのだと言えよう。

ドイツ型の「強い社会」は、言うまでもなく一七〜一八世紀の西ヨーロッパで起こった市民革命を経て築かれてきたものである。だが、もちろん「強い社会」は欧米の専売特許ではない。一九八〇年代まで軍事独裁政権が支配するＡのパターンに身を置いていた韓国や台湾では、民主化を経て「強い社会」がもたらされ、やがてＢへの移行を遂げた。そのことは両国が一時的にＣのパターンを実現させて、新型コロナウイルス対策で目覚ましい成果を挙げたことと無縁ではないだろう。将来、Ａの「強い国家」路線を行く中国から「強い社会」が生まれてくるかどうかは未知数だが、「強い国家」のもとでは必ず「弱い社会」が生まれるわけでもないということだ。

「強い国家」と「強い社会」というこのふたつの類型は、ウイルスの拡散を抑え込み、経済を立て直すだけにとどまらず、コロナ後の政治や社会、そして文化や意識のあり方までをも規定することになるだろう。コロナ時代を生き抜く上で、日本にとって望ましいのは、当然、「強い国家」と「強い社会」の組み合わせである。しかし実際には、今の日本はDの「弱い国家」と「弱い社会」の組み合わせになってしまっているように思えてならない。

対外的には、世界第三位の経済大国である日本は「強い国家」と見られているかもしれない。だがその内実は、コロナ禍という一大危機を前に、国家を担うパワーエリートたちが自らの出処進退や責任を賭けて強制力を伴う非常権限を行使することに尻込みし、他方で「お願い」「要請」という形での「忖度政治」を国民に押し付けているのである。そのような無責任体制を糺すべきメディアの筆は鈍く、事態がずるずると深刻化していくのを許している。疲弊した人々の間では諦めたような空気が蔓延し、怒りの矛先は政府ではなく社会的弱者へと向かいがちである。残念ながら、日本の社会が「強い」と言えるかどうか、はなはだ心もとないのが実情だ。このような危うさは以前から存在していたものだと言えるが、それがコロナ禍によってさらに増幅されているのではないだろうか。

コロナ禍が長期戦の様相を帯びる中、「弱い国家・弱い社会」のもたれ合いが続いてコロナ対策が失敗するということになれば、日本でも「強い国家」が前面に出てくる可能性が高い。そのとき、日本の「弱い社会」は「強い国家」に呑み込まれてしまうのか、それとも韓国や台湾のように危機を乗り越えて「強い社会」に鍛え上げられていくことになるのか。これが、我々が立たされているもうひとつの「瀬戸際」だと言えるだろう。

このような問題意識のもとで、本書はまず第一章で二〇一三年以降の自民党政権を総括し、第二章では、トランプという異形の大統領によってあぶり出されたアメリカの特異さと今なお続く国民的分断について、建国以来の歴史を踏まえつつ考察した。また、第三章では、単なる「反中・嫌中」ではない幅広い視点から、アメリカと並ぶ超大国となった中国について論じた。これからの世界秩序を見通すにあたっては、まずはこれらの二大国についての理解を深めることが必須だと考えたからである。

続く第四章では、トランプ政権下で対立が深まった米中関係の行方を様々な角度から考えてみた。そして全体のまとめとなる第五章では、それまでの議論を踏まえた上で、米中対立という地政学的な対立の狭間に置かれた日本の行く末について展望している。

明治以来一五〇年、日本という国には外部要因の劇的な変化によって内部の変革が誘発され、政治や社会、人々の意識を大きく変えてきた歴史がある。しかし、これからの日本の未来を考えるに際しては、アメリカの混乱や中国の台頭、さらには新型コロナウイルスのパンデミックという一〇〇年に一度の厄災が重なり、先を見通すことは容易ではない。ともすれば単純で過激な二元論に陥りがちな昨今の言論状況において、広く深い視点からしなやかに議論を展開している内田樹氏と語り合えたことは、私にとってこの上ない喜びであった。内田氏との対談は本書で三冊目となるが、これまでの二冊（『世界「最終」戦争論　近代の終焉を超えて』二〇一六年、および『アジア辺境論　これが日本の生きる道』二〇一七年、いずれも集英社新書）と同様に、過去の歴史と未来を見渡すスケールの大きな議論を展開できたと思う。

市場万能型のグローバル資本主義に翻弄され、コロナ禍で疲弊しきった日本において、悲観的にならざるを得ない問題は山積している。それでも、内田氏も私も、希望は残されていると信じている。前途は決して暗いばかりではなく、新しい道も見えているのだということを、読者に提示できれば幸いである。

目次

第五章　米中の狭間で、日本はどう生きるか

構成協力／加藤裕子
地図作成／ＭＯＴＨＥＲ

第一章　問題提起

——二〇一二年以降の自民党政権で日本はどう変わったか

国力の衰微を代償にした長期政権

姜　対談を始めるにあたって、まず二〇一二年一二月末から二〇二〇年九月まで、およそ七年八ヶ月もの間続いた安倍長期政権とはいったいなんだったのか、というテーマを提起したいと思います。この間に生じた問題はいろいろありますが、内田さんから見て最大の問題点はどこにあったと思いますか？

内田　安倍政権の最大の問題は、衰微している日本の国運をV字回復させるための国家戦略がなかったということですね。むしろ、日本が滅びゆくことを加速させ、日本の統治機構全体の劣化によって政権基盤の安定を図った。悪魔に魂を売って延命を得ようとしたような政権だったと思います。

姜　それは面白い表現ですね。

内田　日本の衰退ぶりは二〇二〇年九月に菅義偉(すがよしひで)内閣が発足した後の一一月に行われた世論調査でもわかると思います。内閣支持率が一番高かったのが一八歳から二九歳、そこから年齢が上がるにつれて支持率は下がって、八〇歳以上が最低。普通は逆でしょう？　若い人たちほど反体制的になるはずなのに、日本の場合はそうなっていない。

この現象について分析した新聞記事によると、今の若い人たちは生まれてからずっと日本が貧しくなり、国際的な地位が低下し続けている様子しか知らないので、これから変化があるとしてもそれは今よりもっと悪くなるに違いないと、彼らなりに帰納法的に推理をしているからだというのです。「知らぬ仏よりも馴染みの鬼」という言葉がありますけれど、政権交代したらどんな変化があるか予測がつかない。それくらいなら今の政権のままじわじわと衰微してゆく方がまだましだ、と。若い世代は変化を望んでいないので、野党を支持しない。そういう分析でした。それを読んで、ちょっと考え込んでしまいました。

若い人たちにとって日本の国力がこれから衰微し続けるということはもう既定路線なわけです。V字回復はない、と。だったら、沈む船の中で最後に水没するエリアに這い上がるしかない。生き残り競争で相対的に優位に立つこと以上を望まない。船をもう一度浮かび上がらせるためにはどうしたらいいのかということはもう考えていない。

知人の経済学者に聞いた話ですけれど、「国民の平均年収が一〇〇万円のA国と、平均年収が六〇〇万円のB国があります。あなたはA国で年収二〇〇万円であるのと、B国で年収四〇〇万円であるのとどちらがいいですか?」という質問をすると、A国に暮らして年収二〇〇万円の方がいいと答える人の方が圧倒的に多いんだそうです。平均年収一〇〇万円の国で年収二〇〇万円だと、みんなが自転車に乗っている中で自分だけバイクに乗れる。B国で年収四〇〇万円だと、自分は軽自動車に乗れるけれども、周りはベンツに乗っている。だったら、オレは軽自動車よりバイクに乗る方がいい。人間はそういうふうに考えるらしいです。これは白人貧困層のトランプ支持者にもあてはまりますね。自分が国内的な格付けで相対的に優位に立てるなら、アメリカ全体は衰微しても構わないと考えている。

そのマインドは安倍政権にも通じています。安倍政権で重用されていた人たちは、七年八ヶ月の間に日本の国力が急激に下がったことをデータとしては知っていたはずです。でも、自分はその中で相対的に高い階層に属しているので、国が貧しくなり、国力が衰微することは別に気にならない。

姜　のっけから「内田節」が炸裂（さくれつ）しましたね（笑）。つまりそれは、究極の「現状維持型自分ファースト」ということですよね。

ある意味、曖昧模糊（もこ）とした形ではあっても、「国力が衰微しても個人が相対的に良ければいい」という「自分ファースト」現象が、トランプのアメリカよりも早く安倍長期政権下の日本で現れたというふうに見ることができますね。そうした現象の背景には、社会の原子化（アトマイゼーション）が進んで、個人の置かれている境遇と国家的な統合とが乖離し、国益とか国力とか、国富とかいったマクロ的な現象が個人の意識にとってほとんどリアリティを失いつつある現実があると思います。この点が若年層に端的に現れているわけで、彼らにとって明治初期に福沢諭吉が説いた「一身独立して一国独立す」という近代デモクラシーの命題など、絵空事にしか思えないはずです。

安倍長期政権では、そうした一身と一国との乖離が拡大し、個人と国家をつなぐ民主的な社会的紐帯が痩せ細ってしまいました。個人や集団のヨコの関係や連帯が希薄になり、タテの関係でも個人を社会へとつなげ、また社会を個人へと微分化していく民主的なループが目詰まりを起こし、結果として現実をただ既成事実として受け入れるだけの消極的な現状維持のメンタリティが広がっていったように思います。こうした傾向はＳＮＳに代表されるネット空間の匿名性の飛躍的な拡大を通じて増幅されることになりました。その中から排外主義的な書き込みや情報の発信を行うネットユーザーが社会的な現象となり、そうした「ネット右翼」（ネトウヨ）が安倍政権を支えるムードづくりに一役買ったことは間違いないと思います。

内田　そうだと思います。ただ、これは「利己的」というのとはちょっと違うと思います。

本当に利己的にふるまうならば、日本の国力が向上することから長期的には大きな利益が期待できるわけですから、どうすれば集団としてのパフォーマンスが上がるかをまず考えるはずなんです。でも、実際に起きていることは、日本にしてもアメリカにしても、自分たちにとって不利な政策を行い、自己利益を損なう人間を統治者に選んでいる。明らかに非合理なんです。これを説明するためには、人間は自己利益を増大させることよりも、同じ集団内部で相対的優位に立つことの方を優先するという法則を受け入れなくてはならない。「利益」より「勝利」の方がたいせつなんです。

自民党に投票している人たちは、支持政党が政権の座にあるわけですから、自分は「野党支持者に勝った」と思っている。権力者との幻想的な一体化がもたらす愉悦の方が、自身がその無能な政権によって受けている苦痛よりも大きい。自分自身は政権からいかなる恩恵も受けることのできない最下層労働者であっても、権力者と同じ「勝ち組」に属しているというファンタジーのおかげでいい気分になることができる。

現に、多くのサラリーマンたちが当然のように「経営者目線」で語りますよね。労働者自身の雇用条件を引き下げるコストカットについても「今の経営状況だったら、人件費カットは合理的な解だ」と物分かりのよいところを見せる。これ、変ですよね。

「ファンタジー」しか見えない人たち

姜 今、内田さんが非常に重要な指摘をされましたが、それはたとえば、日本人であることに勝利感を持てればいい、ということとつながりますよね。

実際には、「上級国民／下級国民」という言葉が生まれてしまうほどの階級格差があるにもかかわらず、その格差を埋めなければいけないとは考えない。むしろ、「日本人はこんなにすごいんだ！」ということを差別化のひとつの基準にして、かつての「第三国人」を差別やヘイトの対象とみなしていくわけです。

内田 「日本スゴイ」が妄想であって、現実ではないということは言っている当人だってわかっていると思うんです。でも、日本人は「日本スゴイ」というファンタジーを信じるふりをすべきだ。信じないやつは日本人じゃないと思っている。

姜 安倍首相は本来、筋金入りの右翼ではなかったはずですが、まるで戦前を生きているかのようなあの感覚は、まさしくそういう思い込みを代表していると感じます。安倍首相が美化している戦後の「三丁目の夕日」の時代（二〇〇五年の映画『ALWAYS 三丁目の夕日』は昭和三〇年代の東京下町が舞台）ですが、昭和二九年から三五年頃まで毎年二万人を超える自殺者を出していたことだけを見ても、それがファンタジーに過ぎないことは明らかです。この場合のファンタジーとは、現実との照応などどうでもよく、「こうあってほしい」が「こうなはずだ」になり、さらに「こうに違いない」という〝盲信〟に近い独断になり、それに反することは一切受け付けないというリヴィジョニズム（修正主義）に近いメンタリティの所産ですね。こうした性向は「歴史修正主義」を産みやすく、またそれに〝感染〟しやすい土壌をなしていると思います。要するに、自分たちの信じたいものを信じる。それで何が悪い、というわけですね。

内田　安倍政権の間に日本人の現実観察力や現実分析力は深く損なわれたと思います。二〇二〇年アメリカ大統領選でも、「勝ったのはトランプだ」と言い張る日本人がたくさんいました。僕に対しても「あなたはバイデンが勝ったと思っているらしいが、それは間違った情報です」と真顔で教えてくれた人がいました。高齢の男性でした。長く社会人経験を積んできて、それなりの見識を備えていてよいはずの大人が、「ディープステイト」[*1]とか「Qアノン」のファンタジーを受け入れてしまっている。ちょっと恐(こわ)いなと思いました。

姜　向こうからすれば、「内田さんは何も知らないから、真実を教えてあげなければ！」という感じなんですね。

内田　そうなんです。先方は善意なんですよ。僕の無知を教化してあげようと思っているんですから。だからこちらも返答に窮してしまう。陰謀論を語る人たちは「自分たちの方があなたたちより良質の情報に接している」という前提に立つので、こちらの話を聞いてくれないんです。

姜　そうすると、もうコミュニケーションが成り立たなくなりますね。

内田　成り立たないですね。コミュニケーションというのは、事実関係についてはとりあえず合意があった上で、その事実に対する評価や解釈のズレを調整することですから、「トランプが勝ったんです！　バイデンは不正投票で選挙を盗んだんです！」と断言されてしまうと、対話の前提になる事実そのものが共有されない。

日本のメディアは「張子の虎」だった

姜　そういえば、ナチス・ドイツの時代、ヒットラーが、「本来は勝っていたはずの第一次世界大戦でドイツが負けたのは、ユダヤ人が後ろから匕首（あいくち）で刺したからだ」という、いわゆる匕首伝説を広めていましたね。たとえば安倍長期政権の間に、そういうデマゴギーを普通の人が真顔で信じてしまうような情報環境の変化があったということでしょうか。

内田　テレビの劣化はまだしも、新聞がここまでダメになるというのはちょっと意外でした。特に政治部記者の劣化がひどいですね。

姜　内田さんに前から聞きたかったんですが、安倍政権になって以降、「応援団」的な記者や取り巻きのメディア関係者が固有名詞で出てくるようになったのはなぜなんでしょうね。以前であれば、たとえば新聞社の政治部の記者がゴーストライター的に自分のお気に入りの政治家にテコ入れしたり、知恵袋になったりするようなことがあっても、そういうことは隠れてやっていたわけです。少なくとも、そうやって関わっていることがバレたら問題になる雰囲気がありました。

ところが安倍政権では、それを自己顕示するかのように取り巻きのメディア人たちが平気で政権擁護の発言をしていたじゃないですか。これは安倍政権のひとつの特色だったと思うんですけれども、これも「メディアの劣化」と関係していると言えますか。

内田　そうだと思います。安倍政権では非常にわかりやすいネポティズム（縁故主義）政治が行われました。能力ではなく政権への忠誠心を基準に人々を格付けした。公共財や公的支援を「おもねってくる人たち」に優先的に分配した。ひどい話ですけれども、能力より忠誠心を優先すると、確かに組織の管理コストは劇的に下がるんです。組織が上から下までイエスマンで埋め尽くされて、上意下達が貫徹するので、合意形成の手間が要らない。安倍首相のような対話能力、交渉能力を欠く政治家にしてみたら、トップダウンで全部決まる統治機構はたいへん望ましいかたちだったんでしょう。

イエスマンだけで埋め尽くされた組織を作るために、安倍首相がしたことは、まず自民党議員たちの「去勢」でした。自力ではとても国会議員になれそうもない人たちを優先的に公認した。そして党営選挙で国会に送り込んだ。そういう議員たちなら執行部に対して一〇〇パーセントの忠誠を期待できる。その結果、官邸や党執行部に直言したり、反対意見を述べる議員がいなくなった。そんなことしたら、次の選挙で議席を失うことが明らかだからです。

自民党議員の首根っこを押さえた次は、内閣人事局を作って、官邸に対する忠誠心だけで官僚を格付けしていくというシステムを導入した。これも見事に功を奏して、たちまち霞が関の官僚たちはイエスマンで埋め尽くされるようになった。

そして、その次にはジャーナリストにも同じことをしていった。官邸との親疎を基準に記者たちを格付けした。忠誠心を示す記者にはオフレコの情報がリークされ、政権に批判的な記者たちはニュースソースに近づくことができない。官邸の内情や党内の政局について「あれは裏がありましてね……」と解説できる政治部記者たちは当然社内でも重用され、出世する。そんなことが八年近くも続いたら、メディアも牙を抜かれてしまいます。

そして、菅政権は発足早々今度は日本学術会議の任命問題[*2]で、学者に対して同じことをやろうとした。学者、知識人にも政権批判を許さない、と。政権を批判する学者はいかなる公的支援も期待するなと宣言したわけです。

学術会議の任命拒否を許したら、次は国公立大学の教員は政府批判をするな、私学だって政府から助成金を受け取っている以上、私大教員も政府批判をする資格はない、したければ職を辞してから、個人の資格でやれ。そういうことをすぐに言い出す連中が出てきます。確かに、曲学阿世(きょくがくあせい)のイエスマン学者ばかりが大学管理職になり、メディアに露出するようになれば、政府としては世論操作がしやすくなる。けれども、その代償に、日本の学術の創造性や科学技術の進化は致命的な傷を負うことになる。それくらいのことは菅首相だってわかっているはずです。それでもいいと言うのは、もう日本の学術的発信力を高めるということについては諦めているということです。そんなものはもう要らない、と。それよりも上位者に誰ひとり逆らわない統治コストの安い政体を作ることの方が優先するのだ、と。そう腹を括(くく)ったんだと思います。

姜　僕が知る限り、安倍政権ほどメディアの言うことに敏感で、メディア対策にエネルギーを費やした政権はないと思います。安倍氏が報道番組に出演したときに、市民インタビューに対して「こうした声ばかり取り上げるというのは偏っている」などと平気で言っていましたが、ああいうディティールにまで踏み込む発端は、二〇〇一年に、従軍慰安婦についてのＮＨＫの番組（「ＥＴＶ２００１ シリーズ戦争をどう裁くか」第二回「問われる戦時性暴力」）の内容に関して、当時内閣官房副長官だった安倍氏などの自民党政治家が、ＮＨＫ幹部に対し、予定されていた構成を改変するよう圧力をかけたことだったと言えるでしょう。

内田　あのときの成功体験が、彼がメディア支配に乗り出したきっかけだったと思います。

姜　あのときは残念なことに、安倍氏らからの「公平・公正に」という申し入れに対し、ＮＨＫの幹部が折れてしまいましたからね。結果として、現場も非常に大きなダメージを食らってしまったのではないでしょうか。

内田　彼は日本のメディアが「張子の虎」だということをそのときに知ったんだと思います。もっと気骨があると思っていたけれど、ちょっとクレームをつけたら、あっさり腰砕けになった。「なんだ、日本のメディアって、まるっきり根性なしじゃないか」と文句をつけた方も驚いたんじゃないですか。

安倍政権以前の日本の政治家は、たとえ批判が個人的には不愉快だったとしても、基本的には「やはりメディアに健全な批評性があるということが好ましい」ということは認めていた。報道の自由が保障されていることが先進国の条件だということはわかっていた。その権力者の側の配慮によっていわばメディアは守られていた。自分たちの手で勝ち取った「報道の自由」じゃなかった。だから、あれほど簡単に手放すことができたんだと思います。

統治コストの削減が切り捨てたもの

姜　メディアが弱いという話で言うと、たとえば特定の番組に対して、ネット上でいくつか集中的な批判があると、それが数パーセントであってもマジョリティであるかの如く受け取って、メディアが過剰に萎縮（いしゅく）してしまうということも多いですね。

内田　たとえば抗議の電話が何十本かかかってくると、だいたい番組は中止になりますね。でも、そういう結果が出ると、クレーマーたちは、「日本のマスメディアを動かした！」という全能感を得てしまう。彼らとしては、巨大な組織を攻めて、一定の譲歩を引き出すというのは、愉快な経験なんだと思います。「嫌がられる」というのはいわば「負の社会的承認」ですけれども、それも一種の「敬意」ではある。だから、自己肯定感が低く、社会的承認の少ない人たちはクレーマーになりやすいんだと思います。

姜　メディア介入の成功体験が日本のメディアの弱体化につながっていったということは、安倍政権がもたらした大きな問題点のひとつでしょう。こうしたことがいつ頃から始まったのかを考えていくと、ひとつのきっかけになったのは、一九八七年に起きた朝日新聞阪神支局襲撃事件だと思います。五月三日の憲法記念日に、「赤報隊」を名乗る男によって記者ふたりが殺傷されました。「反日朝日は五〇年前に帰れ」という犯行声明が残されたまま、一連の事件は未解決となっていますが、あれはテロだったわけですよね。

特に印象深いのは、この事件をきっかけに「反日」という言葉のインフレが進んだことです。その結果、野党が政府や与党の政策や政治姿勢を糺すだけで「反日」と揶揄(やゆ)される始末になり、「反日」は、マッカーシズム旋風が吹き荒れた一九五〇年代のアメリカでの〝レッズ〟(アカ)に近いニュアンスを帯びるようになりましたね(七三頁参照)。

内田　そうですね。

姜　事件の数年後、朝日新聞主催でシンポジウムが行われましたが、当時、新聞をはじめとするマスメディアには「テロと闘わなければいけない」という、戦後メディア的仕切りがあったと思います。ところが、ネット時代になるにつれて、バイオレンスではなく、ネットや電話のクレームも含めて、少数者が全能感にひたるためにメディアを叩くということが積み重なっていきました。考えてみれば、安倍政権はそういう前衛的な実験をしたとも言えるでしょうか。

内田 メディア支配のための長期計画が安倍政権にあったわけではないと思います。思いつきで単発的にクレームをつけたら、簡単に通ってしまったので、その成功体験が今のような事態を生み出したということだと思います。国会議員が全国放送や全国紙を動かせるという事実を見て、地方でも、地方議員が地元メディアにクレームをつけに行くようになった。そして、それが通ってしまった。ことの真偽正否よりも、「もめごとを起こしたくない」ということなかれ主義がメディアの上層部に蔓延していますから、もう今は「クレームをつけた者勝ち」ということになってしまった。

本来、大手メディアには、全国民が参加できる自由な言論の場、国民的な合意形成のためのプラットフォームを形成するという社会的責務があったはずなんです。でも、大手メディアはもうその責務を果たしていない。

統治者の側からすれば、統治コストを最少化するためには、異論を突き合わせて合意形成するなんていう面倒なことはしたくない。それよりは、国民を敵・味方に分断してしまって、味方の利害だけ配慮した方が話が早い。政府に反対する国民には一切配慮しない。その提言は取り上げない、公的支援もしない、妥協も図らない。ゼロ回答で応じる。これだと政策決定は本当に簡単になるんです。内閣支持層は野党にゼロ回答で応じる「強い政府」と一体化することで「勝利感」を得られるので、ますます内閣を支持する。だから、政権を維持しようとしたら、別に国民間の合意形成を図る必要はないということに気がついた。それが、安倍政権の「勝利の方程式」だったんだと思います。

国民を敵味方に分断して、味方の利害だけ配慮していれば、三〇パーセントの支持層は揺るがない。残りの七〇パーセントは自分たちが何を言っても、何をしても政治が変わらないということに疲れて、無力感に蝕（むしば）まれて、投票所に行かなくなる。投票率が五〇パーセントを切れば、三〇パーセントの手堅い支持層のある政党がすべての選挙で勝ち続けられる。安倍政権のメディア支配というのは、要するにメディアを国民的合意形成のプラットフォームとしては機能させないということだったわけです。そして、それに成功した。

姜　そうですね。先ほどから言っている「ファンタジー」は、そうした安倍政権のメディア対策が結果として作り上げていったと言えます。

少し付け加えると、かつて右翼的と言われた自民党の政治家たちは自分たちに対抗する勢力にまでウィングを拡げていこうとしていました。たとえば、八〇年代半ば頃、中曽根康弘氏は「これまでのような農村型政党ではもうダメだ。都市の中間層の真ん中よりも左にウィングを拡げないと、自民党は保たない」と明言していましたよね。

かつての自民党には、反対勢力とある種の相互補完関係をうまく作っていくことが日本にとっては良いことなんだという、それなりに国の全体を考えた統治の仕組みがあったと思うんです。けれども安倍政権では、統治コストの削減を優先して、包摂より排除の論理が働いてきたということですね。安倍政権の下では、自分たちの支持者だけが「私たち」とみなされ、それ以外の人たちは排除されていきました。今から考えれば、二〇一七年の都議選での応援演説中に、安倍首相がヤジを飛ばしてきた一部の聴衆に向かって発した「こんな人たちに負けるわけにはいかない」という言葉は、まさしくこの政権の姿勢を象徴するものだったと言えます。

安倍政権はナショナリストではない

姜　そうやって分断を煽(あお)れば煽るほど、逆にこれまで以上に統合のエネルギーが必要になってくるという中で、たとえ幻想であれ、「自分たち日本人はひとつだ」というナショナリズム的な道具立てが求められることになったのだと思います。それによって、韓国や中国との関係がギクシャクすることになったわけですけれども、これは安倍政権が支持されたひとつの要素だったのではないでしょうか。

内田　僕は、安倍政権をドライブしているイデオロギーがナショナリズムだとは思わないんです。ナショナリズムというのは本来国民を統合するためのものです。そのためには、どんな幻想的なものであっても統合軸が存在しなければならない。ところが安倍政権は逆に国民を分断することで政権基盤を打ち固めようとした。政府に反対する国民を「非国民」に分類して、「日本人」の数を減らすことで日本支配を成し遂げようとした。

姜　まあ、僕は最初から「非国民」だけれども。

内田　僕も「在日」って言われますよ（笑）。「日本政府に反対するやつは日本人じゃない。そんなに日本が嫌なら日本から出ていけ！」って。つまり、僕は日本に一時的に滞在させてもらっているトランジットの在日日本人なんです。

そうやって、日本人の資格をより狭く限定してゆけば、最終的に日本列島には少数の

「純正日本人」と多数の「在日日本人」が住んでいることになる。在日日本人は政府に反対すれば、在留資格を失って列島から追い出される。そのような集団をめざすイデオロギーのことを「ナショナリズム」と呼ぶのは無理でしょう。

姜　確かに、安倍政権が作り上げたのは国民統合のムーブメントとしてのナショナリズムというより、「俺が国家だ！　俺が国家を担っているんだ」という、ごく少数者のある種のステイティズム（statism：国家を最高の価値あるものと考え、個人の価値よりも国家に優位性を置く立場）と言うべきでしょうね。それは国民ひとりひとりの内面的な支持によって媒介されていないのですから、根無し草のように不安定です。だからこそより刺激的なレトリック、煽情（せんじょう）的な言葉やパフォーマンスを多用することで、その不安定さを糊塗（こと）せざるを得なくなったわけですね。安倍政権の機会主義的な対応などはその表れとみるべきです。

たとえば、第二次安倍政権発足から一年後の二〇一三年一二月二六日に安倍首相は靖国神社に参拝しています。しかし、中韓から強い反発を受け、さらに頼みの綱の米国から「失望」の表明がなされると、それ以後、在任中は参拝をずっと見送っています。現職の首相の参拝を主張する右翼的な人々や集団からみても、安倍首相の行動は日和見の機会主義者に見えたでしょうね。同時にそれが安倍政権をここまで長期政権へと押し上げる要因にもなったのですが。

ただ、安倍政権を支えた日本会議[*3]のような人たちが血気盛んな限り、近隣諸国は日本が国連安保理の常任理事国になることに反対し続けるでしょうね。

内田 日本の安保理常任理事国入りには中国と韓国がずっと反対しています。二〇〇五年に常任理事国入りをめざしたときに、支持してくれた国はアジアには三ヶ国しかありませんでしたね。

姜 国力という点では、これはマイナスです。にもかかわらず、戦前に回帰するような路線で頑張り続けるとなれば、ますます国力が衰えていくということになるでしょう。いわゆる「国家理性」（国家の存続や発展のために不可欠な国家行動の基本法則・基準）といったものがないがしろにされていると言えますね。

内田 本当にそう思います。普通の統治者なら、国力が衰えてきたら、どうやって国力を回復させるかを必死に考えるはずですが、安倍政権は、政権が続くのであれば、国民を分断することも、国民の現実認識が狂うことも、メディアが機能不全になることも、学術的発信力がなくなることも、まったく気にしていない。統治者に誰も反対しない上意下達の仕組みを作り、統治コストを最少化することが自己目的化している。そのような仕組みにすれば国力が衰微することがわかっているにもかかわらず、政権の存続を優先させた。長期政権を保つことができるなら、国力がどれほど衰微しても気にしないと腹を括ったという点で、安倍政権は日本政治史に例を見ないものだったと思います。

姜　非常に漫画チックではあるけれども、だからこそ恐ろしいと言えますね。

「活躍するふり」に終始した安倍外交

姜　「地球儀外交（地球儀を俯瞰する外交）」と言われた安倍外交について内田さんの評価を聞きたいのですが、僕の考えを予め述べておくと、成果の乏しい「やってる感」だけが印象的な外交だったと思います。ただ、ほとんど成果のなかった安倍政権の「地球儀外交」が、皮肉にもバイデン政権になって「米国版・地球儀外交」となって息を吹き返しつつあるように見えるのは、面妖としか言いようがないですね。

ここで改めて説明しておくと、「地球儀外交」のミソは、日米を基軸に自由、人権、民主主義、法の支配といった価値観重視を前面に押し出し、ユーラシア大陸の〝リムランド〟（周縁部）の国々——インドやオーストラリア、ＡＳＥＡＮ諸国などと連携しつつ、「自由で開かれたインド太平洋」をスローガンに中国をゆるやかに包囲しようとすることにありました。それはほとんど成果らしきものを残さなかったにもかかわらず、米国のバイデン政権で新しい生命を与えられ、よみがえろうとしているわけです。

こんな展開はトランプ政権では考えられませんでしたが、内田さんは安倍政権の「地球儀外交」をどう見ていましたか。

内田　僕はまったく評価しませんね。外交の目標は何よりも「国際社会における自国のプレゼンスを高める」ということに尽くされると思います。そして、国際社会におけるプレゼンスを基礎づけるのは、軍事力や経済力だけではありません。国際社会のあるべきかたち、進むべき道を示すことのできる構想力、指南力も重要な国力の指標です。

けれども、安倍政権は、国際社会において指南力を発揮することで、諸国の敬意と信頼をかちえるという努力をしていたとは思われない。

二〇〇五年の国連安保理常任理事国入りの件でも、日本は主観的にはアジアのリーダーのつもりだったんでしょうけれども、アジア諸国は実は日本を信頼していなかったことが明らかになった。中国、韓国、北朝鮮との対応が、東アジア外交の最も重要な課題ですけれども、そのどれについても国際社会から注目されるようなスケールの大きな、広々としたビジョンを提示できていない。

安倍政権がめざしていたのは、日本国内で「国際社会で大活躍し、世界から尊敬されているように見える」ということだけだったと思います。日本国内で「ように見える」なら、それで選挙には勝てる。ジェンダー・ギャップ指数*4や報道の自由や教育への公的支援など、あらゆる世界ランキングで日本はもう先進国最下位が定位置になっています。今の国際社会に「日本に学べ」とか「日本に倣う」とかいう国はもうありません。でも、その事実をメディアが報道しないので、日本人の多くは知らないまま、「世界中の国が日本に憧れている」というような夜郎自大なファンタジーでいい気分になっている。

姜　安倍氏はトランプ大統領とゴルフをやって、それぐらい親しい仲だとアピールしていましたが、あれも「やってる感」を見せるためのものでしたね。

内田　アメリカ大統領と一緒にコースを回っていると、確かに対等なパートナーみたいに見えますからね。オバマ大統領を銀座の寿司屋に連れて行って、日本酒を飲ませていましたけれど、一緒に飯を食ったり、ゲームをしたりしている「絵」を見せれば、国民は「おお、すごい。うちの総理大臣はアメリカ大統領と対等だ」と信じ込んでくれる。そういうイリュージョンを操作することには長けた政治家でしたね。

姜　そういう内側に見せるための外交ショーとしては、中曽根首相がレーガン大統領とロン・ヤスと呼び合って、いかにも丁々発止でやり取りをしているように見せかけるということもありましたね。

ああいうショーを見て、自尊心をくすぐられるような人たちがいるのかもしれません。自民党の中には、「トランプと一緒にゴルフをやれるのは安倍さんしかいない」「だから安倍さんに外交を頼まなきゃいけない」などと言う人たちがいたようですが、そのために一兆円近い武器を買わされたりしていたわけですから、とどのつまりは、横暴なジャイアンに甲斐甲斐しく仕えるスネ夫のような役回りだったと言えます。

そういう非常に場当たり的なパフォーマンスが成功したのは、テレビも含めたマスメディアがそれに加担するように動いてくれたからという面もありますよね。

内田　亡くなったうちの母親も「安倍さんは本当に良くやってる」と感心していました。驚いて「なんでそう思うの?」と聞いたら、「だって、よく外国に行ってるし、サミットでも真ん中に立ってるし……」。そういう「絵」の力は確かに外交のことなんかよく知らない国民にはインパクトがあるんです。まるで世界政治の中心にいて、各国首脳を睥睨しているような「絵」を必ず報道させていたじゃないですか。

姜　(笑)

内田　日本の有権者が「安倍首相がグローバル・リーダーシップを取っている」と思ってくれれば、それでいいんです。中身はどうでもいいんです。だから、これだけ長期にわたって政権の座にありながら、「外交成果」と呼べるものがほとんどないでしょう。対中国も、対韓国も、対北朝鮮も、何の成果もない。対ロシア外交もひどかった。

姜　安倍氏は「ウラジーミル」とわざわざ呼びかけて、「君と僕とふたりでこの問題を解決しよう」と言っていましたけれども、プーチンはキョトンとしていましたね。どうも安倍首相は、自分より格上と思える大国の指導者とはホモソーシャルな親密さをアピールすることで、自分がそうした指導者たちと同格であることを印象づけるとともに、国民の自尊心をくすぐるパフォーマンスに長けていたようです。

内田　ファーストネームで呼んだのは「ロシア大統領とファーストネームで呼び合っているくらいに親しい関係なのだ」という印象を国内向けに宣伝したかったからです。結果的に北方領土交渉で、これまでの外交の蓄積をすべて失ったわけですけれども、有権者の頭の中に残るのは、失われた北方領土の地図ではなくて、「ウラジーミル」と呼びかけている絵の方なんです。国民を騙すには実績なんか要らない。「絵」があれば十分だということを知っているというあたりは、やることがなかなかニクいですね。

姜　ニクい（笑）。

内田　いや、ある意味たいしたものですよ。実質的には外交なんか何もしていないのだけれども、外交しているふりをして、それを国民に信じさせることには成功した。日本の国益は毀損され続けているわけですけれど、それはぜんぜん気にしない。政権が長期化できるなら、国益なんかどうでもいいという統治者は過去にいなかったと思います。

姜　結局、安倍外交なるものは、おもちゃ箱をひっくり返したようにして、全部つまみ食いで終わったという印象があります。プーチンと二十数回も会合をしながら、北方領土問題でほとんど収穫がありませんでしたし、北朝鮮に関しても、最初は「毅然（きぜん）として」など と勇ましいことを言いながら、現在に至るまで対話の可能性は閉ざされたままです。結局、トランプ大統領の北朝鮮との直接交渉を受けて、「無条件で対話に応じる」と一八〇度方針転換しましたが、それでも世論はなんとも思わないわけです。

唯一の成果は「日韓慰安婦合意」

内田　いくら外交で失敗をしても、「成功している」と言い張れば、メディアはそう伝えるし、国民はそう信じてくれるわけですから、外交のために汗をかく理由はないんです。

対中国、対北朝鮮外交を考えたら、韓国との連携が必須であることは誰にでもわかるはずなのに、戦後最悪の外交関係に陥ったままで、出口が見えなくなった。韓国は経済力でも、文化的発信力でも、もう日本に比肩する地位にあるわけですから、韓国の成功事例から日本が学ぶべきことも多いはずなのに、学ぶ気がない。日韓関係が目詰まりすることは、日本にとって大きな損失なわけですけれども、「韓国とは断交も辞せず！」というような暴言を吐くと国内的には人気が上がる。日韓関係を改善するために努力することよりも、日韓関係をさらに悪化させることの方が選挙に勝つためには有利であるなら、外交努力する必要はありません。

ただ、安倍政権が長期政権だったということそれ自体を端的に「良いこと」と評価する国があるのは事実です。アメリカです。アメリカは日本の統治者が長期にわたって同一人物であったことから大きな利益を引き出しました。それ以前は頻繁に国のトップが入れ替わっていましたけれど、たぶんそのことがアメリカにとっては、対日政策上「仕事がややこしくなる」ので不愉快だったんじゃないですか。よく「悪夢の民主党政権」という言葉を自民党の政治家が使いますけれど、あれはもしかしたら日米合同委員会*5で米軍側から出た言葉かもしれないですね。「総理大臣がころころ変わって、そのつど基地や安保についての政策に変化があると、こっちはえらく面倒なんだよ。なんとかしろよ」というような要請があったんじゃないですか。だって、「政権の安定が絶対善である」というような法則は国内的にはないんです。現に、小選挙区制の導入のとき「政権交代ができる二大政党制」が理想的だというアイディアに多くの日本人は賛同したじゃないですか。「総理大臣は同じ人がずっとやる方がいい」というのが不可疑の真理だと思っている人は日本国内にはいないでしょう。でも、在日米軍はそう考えている。安倍政権が長期化したことを一番喜んでいたのは在日米軍だったと思います。その機嫌の良さをうれしがった日本の官僚たちが「政権が長期的に安定しているのは端的に良いことだ」というふうに一般論に言い換えてメディアに垂れ流したんじゃないですか。

姜　普通、外交というものは、お互いに選択肢が増えるようにすることで、相手との良い関係を作っていきます。ところが、どんどん選択肢を減らすことが逆に支持基盤を強固にしていくとなると、もはや最大多数にとっての最大幸福をめざす功利主義的な発想すら捨てて去って、損なことをやればやるほど盛り上がるということになりますね。

僕は、安倍外交で唯一「実」があったのは、安倍政権が一番やりたくなかった「従軍慰安婦をめぐる日韓合意*6」だったのではないかと考えています。本来は韓国側があの日韓合意を受け取って、日韓で協力してそこに魂を入れていく作業をやっていれば、日韓関係はここまで悪くはならなかったでしょう。

一方、もしこの合意がなければ、韓国側から過去の歴史問題についていろいろ言われることに対して、日本が今のように強硬に反発することはできなかったはずです。つまり安倍政権としても、「日本側は韓国側に譲歩をして、ああいう合意をしたにもかかわらず、頑迷固陋な韓国はこの日韓合意を骨抜きにした」というパフォーマンスをすることで、国内的に盛り上がるという図式を成り立たせることができるようになったわけです。

そういう「やってるふり」の外交で国益がどんどん毀損されていくにもかかわらず、安倍政権の支持率はほとんど下がりませんでした。悪くても三〇パーセント台後半、普段は四〇パーセント台の支持率をずっとキープしていたのは、驚くべきことだと思います。それだけ国民的な倒錯現象が強いのかと思うと、やや憂鬱になりますね。

ファナティックな国民感情はどこへ向かうのか

内田 僕らは「安倍政権が日本国民を騙して、コントロールした」という図式で考えていますが、もしかすると話は逆なのかもしれませんね。山本七平が[*7]、日本の場合、ある政策の採否を最終的に決定するのは「空気」だと言ってますよね。いくら政府が「これが国益を最大化する道だ」と判断して政策決定をしても、国民の「感情的な批准」がないと、政策を実行できない。

　たとえば、日露戦争後の一九〇五年のポーツマス条約[8]は、日本としては受け入れざるを得ないものだったわけです。これ以上戦争を継続する力がもうなかったんですから。でも、国民はロシアからの「戦利品」が少ないことを怒り、戦争継続を要求した。条約交渉の全権を担った小村寿太郎（こむらじゅたろう）は帰国のときには暗殺されるリスクを覚悟していた。

　南京（ナンキン）攻略[9]のときも、日本軍はドイツの仲介で国民政府と休戦協定を結ぼうとしていたのに、結局それを反故（ほご）にして進軍した。何のために南京を総攻撃するかという理由がよくわからなかったし、南京攻略後何をするのかも決まっていなかった。和平交渉中に総攻撃を命令するという支離滅裂なことをしたのは、政府の停戦決定を国民感情が許さなかったからです。「それでは国民が納得しない」という理由で、軍略的に有害無意味な作戦行動が採択された。日米開戦もそうですね。明確な戦争目的もなく、何を達成したら戦争を止めるか、何も事前に決めないままに、「空気」に流されて、戦争を始めた。

姜　当時、開戦を主張していた一派でさえ、ワシントンを占領しようという人間は誰ひとりいませんでした。「日米戦争をすれば負ける」という冷静な声はありましたし、東条内閣の商工大臣や軍需次官として総力戦の物資動員を担った岸信介（一八九六〜一九八七。第五六・五七代内閣総理大臣。安倍晋三の祖父）にしても、アメリカと戦争をすればどうなるかというのはわかっていたと思います。それでも、「このままいくと日本は取り返しのつかないことになる」と警鐘を鳴らせば鳴らすほど、盛り上がりに冷や水を浴びせるような形になるので、「適当なところで終わらせれば、なんとかなるだろう」という指導者たちの安易な目論見（もくろみ）も手伝って、結局、対米戦争に突き進むことになってしまいました。

内田　安倍政権は七年八ヶ月の長きにわたって日本国民の「感情的な批准」に堪えたわけですから、確かにその意味では例外的に強い政権だったと言うことはできると思います。それは国力を損なう政策を選択し続けたけれども、それでも日本国民は彼を支持し続けた。それは国民自身がそれを望んでいたからだ……という一番気持ちの悪い解釈になってしまいますが（笑）。

姜　面白い解釈です（笑）。

内田　「デマゴーグに無垢（むく）な大衆が操られている」というほど単純な図式ではなくて、政治家が「空気」を醸成して、それに煽られた大衆がファナティックな政治的ファンタジーに溺れて、政策決定に大きな影響を与えて、今度は政治家が国民感情に追随せざるを得なくなる……というだいぶ複雑なプロセスをたどっているような気がします。

姜　けれども、日米戦争がそうだったように、自分たちで煽り立てた国民感情に逆に翻弄されて、結局は悲惨な結果が待っていた、ということになっているんじゃないでしょうか。

内田　戦争が終わると、煽られた民衆は「騙されていた」と言う。でも、どこかに全国民を騙していた単一の主体がいるわけじゃない。「騙されていた」という人たちが他人を騙し、その人たちがまた他人を騙し……というふうにして、全国民が主体的に戦争にコミットしていた。今の日本もそれと似ていると思います。

安倍政権はもしかすると自分たちがうまく民衆を煽って、政権の求心力を確保したと思っているかもしれませんけれども、一度そうやって自分たちが火をつけてしまったファナティックな国民感情はどこかでコントロールできなくなる。嫌韓感情なんかその典型ですよね。政府が意図的に火を点(つ)けて、それを政権の浮揚力に利用したわけですけれども、これからあとの日韓の外交関係における選択肢を限定してしまった。これから仮に日韓両国にとって合理的な解が見出(みいだ)された場合でも、嫌韓的な国民感情がそれを「批准」しないので、採用できないということだって起こりかねない。

姜　映画監督の伊丹万作（一九〇〇〜一九四六。息子は『マルサの女』などで有名な映画監督・俳優の伊丹十三）は、終戦直後の文章「戦争責任者の問題」で「騙されていた」人々の責任を痛切に問い直しています。「戦争中を通して我々を最も苦しめ、そして圧迫してきたのは他でもない、隣組などの身近な民衆たちだった」という伊丹の指摘は、今も色あせていませんね。

もっとも、国民的な倒錯現象が政治を動かしていくということは日本だけのことではなく、韓国にも中国にも、そしてもちろんアメリカにも共通しています。次章からは、世界の二大大国であるアメリカと中国について考えながら、米中対立の狭間で日本はどうすればいいのか、そして東アジア情勢の今後についても、内田さんと語り合っていきたいと思います。

註

＊1　ディープステイト／Qアノン

一部の特権階級的エリートたちが構成する「ディープステイト」（影の政府）が存在し、アメリカ政府を含めて世界を裏から支配している、との陰謀論を唱える極右組織がQアノンである。彼らはトランプ大統領を正義の救世主とみなし、二〇二〇年の米大統領選挙で影響力を持った。

＊2　日本学術会議の任命問題

二〇二〇年九月に菅義偉内閣総理大臣が、日本学術会議が推薦した新会員候補一〇五名のうち、六名の任命を拒否した問題。この行動は日本国憲法に規定される「学問の自由」の侵害にあたるのではないか、など様々な議論が生じ、数多くの学会が声明を出すに至った。

＊3　日本会議

「誇りある国づくりを」をスローガンに掲げて活動する、右派・保守系の草の根的国民運動団体。第二次・第三次安倍内閣では安倍晋三首相をはじめ、閣僚の多くが「日本会議国会議員懇談会」に所属していた。政策提言を積極的に行っており、その主張は「新憲法の制定」「学校教科書での『自虐的・反国家的』な記述の是正」「日本を貶（おとし）めるような『自虐的』な歴史教育の是正」「横行するジェンダーフリー教育の是正」「行きすぎた権利偏重を唱える教育の是正」「女系天皇反対」「夫婦別姓反対」「外国人への地方参政権付与反対」など多岐にわたっている。海外メディアでは「日本最大の右翼組織」「安倍政権を支えた国家主義団体」などと報じられている。

＊4　ジェンダー・ギャップ指数

二〇〇五年以降、世界経済フォーラム（一九七一年に設立された、世界情勢の改善に取り組む非営利の国際機関）が毎年発表している、世界各国の男女格差を示す指標。経済・教育・医療・政治の四分野における合計一四項目のデータを基に、各国の男女間での不平等を数値化したもの。二〇二一年のランキングでは日本は一五六ヶ国中一二〇位で、G7の中では最下位であった。

＊5　日米合同委員会

日米安全保障条約に基づく在日米軍による施設・区域の使用、および日本における米軍の地位について規定した日米地位協定の運用に関する協議機関。日本側代表は外務省北米局長、アメリカ側代表は在日米軍司令部副司令官が務める。また、日本側の代表代理が官僚であるのに対し、アメリカの代表代理は在日米陸軍司令部参謀長、在日米空軍司令部副司令官などの軍人が主である。

＊6　従軍慰安婦をめぐる日韓合意

第二次安倍政権・朴槿恵（パククネ）韓国大統領の在任期間中、二〇一五年一二月に「最終的かつ不可逆的解決」として日韓両政府の間で結ばれた合意。韓国政府が元慰安婦支援のための財団をつくり、日本政府がそこに一〇億円を拠出することが決められた。背景には、日韓関係悪化によって対中関係に綻びが出ることを嫌ったオバマ政権からの働きかけがあったとされる。

＊7　山本七平

一九二一年東京生まれ。一九九一年没。評論家。在野の知識人として活動。著書に、日本文化や日本人の行動様式を「空気」という概念を用いて論じたベストセラー『「空気」の研究』などがある。

＊8　ポーツマス条約

一九〇五年九月に調印された、日露戦争の講和条約。日露両軍の疲弊を受けて、アメリカ合衆国大統領セオドア・ルーズベルトの仲介によって実現した。条約は日本の朝鮮半島に対する保護権（優越権）を認め、遼東半島南部の租借権、南満州の鉄道の利権、南樺太の日本への割譲を認めるなど、日本側の要求を多く呑（の）んだものとなった。しかし、日露戦争に投じられた莫大（ばくだい）な戦費を埋め合わせるための戦時賠償金が一銭も獲得できず、不満を募らせた民衆によって日比谷焼き討ち事件などの暴動が起こされ、日本側の全権を務めていた外務大臣・小村寿太郎は「国賊」などと非難を受けて槍玉（やりだま）にあげられる結果となった。

＊9　南京攻略

一九三七年に勃発した日中戦争において、同年一二月に中華民国の首都・南京で展開した大規模戦闘。大日本帝国陸軍第一〇軍が独断により進軍を決定したことに端を発する。南京陥落時にいわゆる「南京事件（南京大虐殺）」が生じた。

第二章　アメリカについて考える

トランプが去ってもポスト・トランプの時代は来ない

姜　この章では、トランプ後のアメリカを内田さんがどう捉えているのか、うかがっていきます。僕自身は、バイデン新政権は日本の旧民主党と同じようにガバナビリティが劣化して立ち往生し、多くの人が失望するかもしれないという懸念を抱いています。もちろん、この政権に期待している向きもあることは承知していますが、ひとまず確かなことは、これまでのトランプ時代とは違う、なんらかの変化が起こるということでしょう。

その表れは、中国牽制（けんせい）を睨（にら）んだ国際的な包囲網の構築となって顕在化しつつあります。その場合、ブッシュ（ジュニア）政権が九・一一テロ事件の直後に打ち出し、その後の単独でのアフガン攻撃やイラク戦争で鮮明化させたユニラテラリズム（単独行動主義）や、トランプ政権の「アメリカファースト」とも違って、同盟国や準同盟国との「チームプレー」による対中国封じ込めの新たな構図が明らかになりそうです。この対中シフトをバイデン新政権は「民主主義」対「専制主義」の二項対立に単純化し、前にも指摘したように、安倍政権の「地球儀外交」を焼き直したような価値観外交を前面に押し立てていきつつあるように映ります。ただ、議会で正式に承認されていないにもかかわらず、国務や国防のスタッフを総動員して新しい国際秩序の新機軸を打ち出そうとしているのも、やはりそこにはトランプの影がちらつき、次期の米大統領選挙への対応を含めて「バイデン色」を出したいという焦りのようなものを感じます。

アメリカについては、内田さんはかねがね、アメリカの国力の源泉はそのレジリエンス（復元力、可塑性）にある、とおっしゃっていますね。たとえひどい失敗を犯しても、そこから立ち直るのが早いということですが、なぜこういうことが可能かと言えば、メインストリームの支配的な力に代わり得るカウンターカルチャーが常に国内にあって、それが社会を突き動かしていく大きなエネルギーになっているからだという話が、強く印象に残っています。たとえば、ベトナム戦争後の時代は、そうした「絶えざる永久革命」とも呼ぶべきアメリカの復元力が発揮された典型だったと言えるでしょう。この復元力がある限り、トランプが去った後のアメリカはもう少しまともになるのではないかと考えられますね。

ただ、あれだけ分断が進んだ状況が、それほど簡単に修復できるとも思えません。トランプは非常に往生際が悪い形で退陣しましたし、トランプ支持者たちがアメリカの連邦議会議事堂を占拠するという衝撃的な事件も起こりました（二〇二一年一月六日）。アメリカがあそこまで混乱したことには驚きましたが、アメリカという国はもう動脈硬化を起こしていて、もはや内部からカウンターカルチャーが出てきにくい状況になっているのか、それとも依然としてアメリカは「絶えざる永久革命」的なものを内側に持っているのかどうか。そのあたりも含めて、内田さんは今のアメリカの現実をどのように見ていますか。

内田 大統領選挙中、僕が読んでいる範囲のアメリカのメディアは「トランプがもう一期大統領職にあれば、アメリカの国益は致命的に損なわれる」と、ほとんど読者に懇願するようにバイデンへの投票を呼びかけていました。にもかかわらず、七〇〇〇万以上の人々がトランプに票を投じた。これだけ票が割れた以上、国民的和解がすぐに成るとは考えられないですね。

姜 トランプはメディアに叩かれただけではなく、新型コロナウイルスによる死者を三〇万人近く出し、自分自身もコロナに罹患したというのに、蓋を開ければ、それほどの大きな支持を得たわけですね。これはバイデンの敗北ではないかと一瞬、思ってしまいました。もしメディアがあそこまでトランプバッシングをしていなければ、バイデンは本当に勝てなかったかもしれません。

内田 共和党の迷走ぶりは痛々しかったですね。共和党議員の多くがトランプに追随して、選挙の不正を言い立て、訴訟を起こしたりして、円滑な政権移譲に抵抗した。ここまで共和党が劣化していたとは思いませんでした。二〇二四年大統領選にトランプが再出馬するという噂もあるようですから、どうも簡単に「ポスト・トランプ」時代には入れなそうですね。

姜　本当にそう思います。むしろ、トランプ政権の延長のような側面もありますね。トランプ大統領は、アフガニスタンから米軍の地上兵力を撤収し、アフガン戦争に幕引きをはかろうとしたわけですが、バイデン政権もそれを継承し、「九・一一」から二〇年、兵力の撤収を政権の目に見える成果としてアピールしています。また、トランプ政権ではオバマ大統領の時代に発足したTPP（環太平洋パートナーシップ協定）から離脱したわけですが、バイデン政権になっても復帰する見込みはないようです。これらはほんの二例に過ぎませんが、バイデン政権がトランプ政権との違い、あるいは断絶を際立たせようとしている割には、前政権を継承している面があることにもっと注目すべきですね。

陰謀論はなくならない

内田　カウンターカルチャーがアメリカのレジリエンスを担保しているという話はトランプにも当てはまるんです。トランプ自身が自分を「カウンター」に位置づけて、「受難している大統領」を演じていましたよね。大統領はメインストリーム中のメインストリームのはずなんですけれども、彼の描いたシナリオでは、ウォール街やシリコンバレーにいるインテリの富裕層がアメリカを牛耳るメインストリームであって、自分はホワイトハウスに立てこもるカウンターとして、アメリカを支配している「ディープステイト（影の政府）」と闘っている革命戦士なんだ、という話になっている。まるでめちゃくちゃなシナリオですけれども、このストーリーを信じたアメリカ人がたくさんいたわけです。メインストリーム vs. カウンターという話型はアメリカでは、やはりたいへんに感情喚起力があるんですね。

日本の場合は、総理大臣が、野党と経団連とメディアと知識人が形成する「影の政府」と闘っているというようなストーリーは誰も信じませんから。

姜　第一章で「トランプは本当は勝っている！」と信じ込んでいる人たちの話が出ましたが、日本でも、そういうトランプのシナリオに踊らされた人たちがけっこういましたよね。安倍さんの退陣と入れ替わるように、「ディープステイト」の陰謀論を固く信じる人たちが大勢出てきて、トランプは「悪の帝国」と戦っているんだと、大真面目に主張していました。まるで別次元の宇宙で生きている異星人と話しているような気持ちになりましたが、こうした陰謀論はやはりアメリカでも相当な広がりを持っていると見た方がいいのでしょうね。

内田　ディープステイトの話は世界的に広がっているみたいですね。僕が主宰する合気道道場・凱風館の門人でセルビア人の合気道家と仲良くしている人がいるんですけれど、そのセルビア人が時々電話をかけてきては延々とディープステイトの話をしてくるので困っていると嘆いていました。

姜　そんなところにまで広がっているとは、驚きますね。

内田　陰謀論というものはいつの時代にもあって、絶対になくならないんです。陰謀論が出てくるのは激動期なんです。統治システムが劇的に変わる時は、様々なファクターが絡み合って、その複合的な効果として体制変換が起きるわけですけれども、「いろいろな理由があって、こんなふうになりました」という話ではなかなか普通の人は納得してくれないんですよね。「いろいろな理由があって」ということは、言い換えると、あるひとつの条件が揃わなければ、「こんなこと」にはなっていないかもしれないということです。つまり、今「こんなこと」になっていることには別に必然性があるわけではなく、たまたま「こんなこと」

になってしまった。「たまたま」と言われるとつらいんです。自分が社会的地位を失ったとか、全財産を失ったとかいうときに、「たまたまでした」と言われると気持ちが片づかない。それよりは「深い理由があった」と思いたい。

陰謀論を求める心情というのは、起源的には一神教と同型的なんです。宇宙で起こるあらゆることには意味がある、すべては神の摂理に従っているという信憑を裏返すと、すべての悪いことは「諸悪の根源」たる悪魔が差配しているというストーリーに転化する。「悪の張本人」がどこかにいて、すべての悪事をコントロールしているという物語は、神がどこかにいて、森羅万象をコントロールしているという物語と構造的には同じものなんです。陰謀論者というのはある意味で可憐なんですよ。ニヒルな無神論者よりも、熱心な陰謀論者の方が「けっこういい人」だったりするんです。

姜　確かに、そういうところがありますね。

「リベラル」への強い反感

姜　今の話に付け加えると、既存のイデオロギーが無力になってくると、これまで寄りかかってきたものが崩れてしまって、ポピュリズムや陰謀論が跋扈してくるということがありますよね。

そういうときに何を敵とするかということで言うと、たとえば、かつての冷戦時代のように、「友・敵」関係がはっきりしている状況では、ジョゼフ・マッカーシー[*1]がやったような内側の「魔女狩り」が出てくるのはよくわかるんです。あのときは、反ソ連・反共産主義を掲げて徹底的なレッドパージ（共産党員や共産主義の支持者を公職や民間企業から罷免・解雇すること）を行ったわけですけれども、今や北朝鮮を除けば社会主義国家はほとんどないという中、トランプ支持者たちがパブリック・エネミーとしてターゲットにするのは、アメリカで「リベラル」と呼ばれている人々ではないかという気がします。今、アメリカで「リベラル」というと、東海岸や西海岸のスーパーエリートの大金持ちとイコールにされていて、彼らに対する怨嗟（えんさ）やルサンチマンがあるように思うんです。

僕は、「リベラル」と思われているクリントンやオバマの時代にトランプが出てくる種が蒔（ま）かれたのではないか、と思っています。間にブッシュの時代を挟んではいますが、オバマ政権は実質的にはクリントン政権の第三期・第四期だったとして、いわゆる「リベラル」が支配的なイデオロギーだった時代に何が起こったのか、ということを考えてみたくなります。

まず、ベビーブーマー世代のクリントンの政策は、「第三の道」（The Third Way：市場の効率性を重視しつつも、国家の介入による公正の確保を指向する路線）という、イギリスのブレア首相のブレーンだった社会学者アンソニー・ギデンズ（一九三八〜）などが提唱した路線に近いものでした。従来の保守対革新という二項対立にとらわれず、サッチャーとレーガンの時代のネオリベラリズムによって行き過ぎた資本主義を社会民主主義的政策で一部是正するとした「第三の道」は、当時、グローバル化や個人主義の拡大、環境問題への対応などを含む「ラディカルな中道」などと呼ばれて期待されていました。しかし、結局のところ、この路線によって金融やＩＴがアメリカの産業の中心に躍り出てきた一方、それまでアメリカを支えてきた製造業の没落は加速し、格差はさらに広がることになったと言えます。そのために苦境に陥った人々が多く住むアメリカ中西部から北東部にかけての地域は、ラストベルト（錆びた工業地帯）と呼ばれるようになりました。

そうした現実を修復してくれるのではないかと、オバマに投票したラストベルトの有権者たちも少なくなかったでしょう。しかし、オバマはその期待に応えることはできませんでした。その幻滅感が反民主党の反動となり、一挙にトランプに流れ込んだのではないか、と僕は考えています。もしオバマ政権が一期で終わっていたら、反動ももう少し穏やかで、トランプが大統領になることはなかったかもしれません。要するにアメリカでは、「リベラル」と言えば、西ヨーロッパの穏健な社会民主主義的なスタンスのイメージで、経済的な平等への目配りがあり、福祉国家的なセーフティネットによる格差の是正に取り組んでくれるという期待があったはずです。そのひとつが、無保険者の削減を狙ったオバマケア[*2]だったわけですが、この制度は保険料の抑制も医療費の削減もうまくいかず、共和党はもちろん、民主党支持者からも反対の声があがる始末でした。

内田　アメリカの「リベラル」って、日本の「リベラル」とはだいぶ違うと思うんです。東海岸や西海岸にいるリベラルの中には莫大な個人資産を持っている人がいますけれど、彼らは富の再分配には特に緊急性を感じていない。アメリカ人は「自分が成功したのは多くの人の支えがあってのことであるので、成功の果実はできるだけ多くの人と分かち合うべきだ」という考え方をあまりしないんです。自分の財産をどう使うかは市民的自由のひとつですから。「お前の金をこういうふうに使え」と人から指図されることは嫌なんです。自由の侵害だから。もちろん慈善事業をするのは良いことなんですよ。実際にビル・ゲイツのような人はスケールの大きな慈善事業を展開していますす。でも、それはあくまで個人の自由な発意によるものであって、外から強制されたものではない。だから、他の大富豪に向かって「あなたもビル・ゲイツみたいにしたらどうですか」と言ったら「余計なお世話だ」って言われると思います。

社会的平等は、富裕な人の個人資産の一部を召し上げて、それを貧しい人たちに再分配するという仕方でしか実現できません。自由と平等というのは相性が悪いんです。「リベラル」というのは、市民的自由を何よりも重んじる人たちですから、公権力によって私財を召し上げられたり、私権を制限されたりすることに我慢がならない。それがアメリカの「リベラル」です。これ、日本人の感覚からすると、あまり「リベラル」らしくない。僕らが考える「リベラル」って、市民的自由もたいせつだけど、どちらかというと、階級格差や人種差別や性差別に反対して、社会的平等を実現することをめざす人たちじゃないですか。

姜　少なくともヨーロッパでは、リベラルというのはそうですよね。

内田　アメリカでは「自由」がおそらく最も重んじられている価値だと思います。自由のたいせつさについては広い国民的合意がある。でも、「平等」はそれほど重んじられていない。

アメリカの歴史を見ると、自由のために銃をとって戦う市民たちはいくらもいますけれど、平等を実現しようとして立ち上がる人はそれほどいない。アメリカでは、「自由」という概念は国民の中に血肉化しているけれども、「平等」という概念はそれほど深く定着していない。僕はそんな気がします。

自由と平等は両立しない

内田　「平等」概念が空疎だということは、人種差別問題が未解決であることからもわかると思います。独立宣言には「すべての人間は生まれながらにして平等である」と謳われていますけれど、そう宣言されてからも一八六二年にリンカーンが奴隷解放令を発令するまで奴隷制は存続した。奴隷解放後も、ジム・クロウ法*3によって黒人差別は継続した。一九六四年に公民権法*4が制定されてからもう五五年以上も経っているのに、いまだにBLM運動（Black Lives Matter：黒人差別への抗議運動）で「黒人だって生きている」と訴えなければならない。

姜　五五年ですか。改めて、驚きますね。アレクシ・ド・トクヴィル（一八〇五〜一八五九。フランスの政治思想家）の『アメリカのデモクラシー』はアメリカを理解するために欠かせない古典です。トクヴィルは一八三一年に九ヶ月に及ぶアメリカ視察旅行を行い、タウンシップと呼ばれた基礎自治体で、特権階級ではない一般市民が皆、平等の立場で話し合いながら公共の事柄を決めていくという場面を感銘とともに描写していますが、本来、アメリカのデモクラシーにおいて平等はかなり重要だったはずですよね。

内田　アメリカ建国の基本的原理が「自由」と「平等」であることは確かなんです。でも、アメリカ人の頭の中では「自由」と「平等」は対等ではない。「実現すべき理想」として自由と平等の重さの比率は六：四か七：三くらいじゃないでしょうか。

　自由は自己決定できます。「オレは今日から自由に生きるぞ」と宣言すれば、ある程度まではその日のうちに自由は達成される。でも、平等は、そうはゆかない。「よし、オレが今日から社会的平等を実現するぞ」と宣言したって、個人の決断では実現できない。平等というのは公権力が私権・私財に介入することなしには実現しないからです。自由は「私事」ですけれども、平等は「公共の出来事」です。集団的な合意を達成しない限り、メンバーの過半がそれに同意するまでは、平等は実現しない。アメリカでは、市民的自由が最優先に配慮されるわけですから、私権の制限・私財からの徴収という市民的自由の制約なしには達成できない平等は必ず後回しにされる。

姜　そもそも「自由」と「平等」は互いに矛盾するもので、本来的に食い合わせが悪いというわけですね。

内田　そうです。「リベラル」もそうですが、「平等」も日本人の考える「平等」とアメリカの「平等」はずいぶん手触りが違うように思います。

僕らは平等というのは「これから実現すべきもの」だと考えています。世の中には人種差別とか性差別とか、様々の不平等が存在する。それをこつこつと努力して解消してゆく。僕らはそう思っていますね。でも、アメリカではそうじゃないんです。「平等」はもう達成されているから。平等は「神様からの贈り物」として初期条件にカウントされているんです。

独立宣言には"All men are created equal."「創造主は我々を平等なものとして創られた」と書いてあります。万人は神によって平等に創られているということは、平等は天地創造時点でもう達成されているということになる。だから、創造された後に生じた格差は自己責任だ、と。そういう話になる。スタートラインでは、白人も黒人もアジア人もネイティブも、みんな造物主によって平等に創造された。だから、それからあとどれだけ富裕になるか、どれだけ大きな権力を手に入れるか、それはすべて人間的努力の成果である、と。

アメリカでは、成功するチャンスはすべてのアメリカ人に等しく賦与されているという前提が採用されている。現実とは隔たること遠い前提ですけれども、神がすべての人間を平等に創造したのだとしたら、それ以後に生じた不平等は一人一人の努力の差であるという話に説得力を感じる人がたくさんいる。だから自己努力で獲得した富や権力を公権力が介入してきて取り上げて、それを「努力しなかった人間たち」に再分配するというのはあってはならないという理屈になる。

成功するチャンスは決して平等には配分されていない。だから、平等を達成するためには市民的自由の制約を受け入れるべきだと考えているアメリカ人は、たぶん全体の二五パーセントくらいしかいないんじゃないでしょうか。

姜　その比率は、なんだか実感としてわかる気がしますね。

内田　自由か平等か、どちらがたいせつかという論争は昔からずっとあるんです。アメリカでは一八世紀に公教育が導入されましたけれども、このときも反対の声が上がった。公教育というのは税金を投入して、すべての子どもが貧富の別なく学校で教育が受けられるという制度ですけれども、これに反対した市民がたくさんいた。彼らの言い分は、「教育の受益者は個人である。受益者負担の原則に基づくならば、勉強したい者は自分でそのための費用を支弁すべきである。我々が払う税金によって、税金を払っていない者の子どもたちが自己利益を得ることは許されない」というものでした。

学校教育の導入に納税者が反対するという風景は、アメリカ以外の国ではちょっと想像できないんじゃないかと思います。すべての子どもたちが質の高い学校教育を受けられれば、その国の国力が向上することは確実だからです。一握りの人間しか文字が読めない、四則計算ができないということでは、社会は回らない。公教育は国を強く豊かなものにするためにはきわめて有効な制度であるはずなのに、それに反対する人たちが富裕層を中心に大勢いた。自分が努力して稼いだ金の一部ではあれ、それが自分ほど努力していない人間のために使われるのは堪忍できない、それは市民的自由の侵害だという発想をする人がいた。この「自由原理主義」はもうアメリカの民族誌的奇習とみなしていいんじゃないかと思います。

今もアメリカは国民皆保険制度がありません。無保険者は一度病院に行くと、とんでもなく高額な治療費を取られることになるので、病院に行くことができない。「オバマケア」は低所得者の保険加入率を上げるための施策でしたが、共和党と各州政府の反対に逢着(ほうちゃく)して、何度も違憲訴訟が行われ、トランプは大統領になるとオバマケアの見直しを命じる大統領令を発令しました。

　貧富にかかわらず全国民が等しく良質な医療を受けられるシステムでないと、今回の新型コロナウイルスのような感染症を封じ込めることはできません。ですから、貧しい人たちも費用の心配をしないで病院に行けるシステムを整備すれば、国民全員がそのシステムから受益できる。でも、医療のために税金を支出することに対しては今も激しい抵抗があります。それは別にアメリカ人がとりわけ不人情だからだとは思いません。そうではなくて、「税金を投入して平等を実現する」ことに拒否反応を示すアメリカ人が多いということだと思います。

建国にまで遡るトランプ人気の秘密

姜　アメリカで平等が実現されていないという現実は、トランプによって、はしなくも明らかにされたという面もあると思います。逆に言えば、トランプでなければ、ＢＬＭ運動もこれほど激しくならなかっただろうし、リベラリズムの問題もここまで露にならなかったのではないでしょうか。
　一時期、倫理学や政治学で、ジョン・ロールズ（一九二一～二〇〇二。アメリカを代表する政治哲学者。ハーバード大学教授）の"A Theory of Justice"（『正義論』一九七一年）が一世を風靡（ふうび）するなど、リベラリズムがその中に格差是正をなんとか入れていこうとするような動きもありました。ロールズは、「自由か平等か」という二者択一をしりぞけて、すべての人々が自由を等しく分かち合うことを社会正義の第一原理に据え、さらに平等な自由を分かち合って社会生活をはじめた後に派生する所得や地位の不平等を是正するために、社会正義の第二の原理を定めようとしたのです。その第二原理は、「性別や家柄等の属性を問わず、平等な機会が用意されねばならない」「不平等な措置は、最も不遇な人にとって最大の利益をもたらすときだけ許容される」といった形で定式化されています。こうした社会正義に基づくリベラリズムの新たな再建の試みは、ハーバード・ロースクール在学中のオバマ大統領にも影響を与えたようです。

しかし、先にも触れたようにオバマ時代のアメリカは、結局、格差と不平等の是正には失敗したと言えるでしょう。そしてトランプ大統領の出番となったわけです。

内田　アメリカの分断はまことに根深いものですけれど、別にこの分断はトランプが持ち込んだものじゃありません。元々あった。「分断は二一世紀の初めからあった」「いや、一九五〇年代からあった」などといろいろ言われますけれど、この国民的分断は、アメリカ建国の時点からずっとあったと僕は思います。

独立戦争に勝利したあと、新しい国を作るというときに、どういう統治の仕組みにするかで、アメリカ国内にはするどい対立がありました。連邦政府に大きな権限を委譲すべきだという連邦派（フェデラリスト）と、一三の州政府がもともと有していた権限をできるだけ守ろうとする州権派（アンチ・フェデラリスト）の対立です。

日本ではStateを「州」と訳しますが、ステイトは実質的には「国」です。歴史的には、開拓者たちが切り拓いた開拓地が総督の支配する王領植民地になり、独立戦争を経て人民主権のステイトになった。そして人民の総意を受けて合衆国に加盟した。一三のステイトはそれぞれ成立した経緯も違うし、統治の仕組みも違う。それぞれ固有の憲法を持ち、固有の軍隊（州兵）を有していました。だから、あくまでステイトが最高決定機関であって、連邦はそのゆるやかな連合体にとどまるべきだと州権派は考えたわけです。

この連邦派と州権派の対立はコミュニタリアン対リバタリアン[*5]という図式にほぼ重なり合いますし、アメリカにおける左派と右派の対立にも重なり合います。

いまアメリカ政治で「左派」と呼ばれる人たちは、フェデラリストの系譜に連なるんだと思います。バーニー・サンダースやオカシオ・コルテスといった「社会主義的」と言われる人たちは、公権力が介入して私権を部分的に制約することで、国民の安寧を実現しようとしていますから。

その対極に「自分のことは自分でやる。公権力の命令に従わない代わりに、公権力の庇護を求めない」というリバタリアンがいます。リバタリアンが求めているのは何よりも自由です。言論の自由、集会の自由、武装する自由、抵抗する自由、革命する自由、マスクをしない自由、あるいはワクチンを受けない自由（笑）。とにかくこの人たちはあらゆる局面で「自由を追求する」ということでは首尾一貫しているんですよね。そして、この人たちが「右派」になる。

姜　「平等」を重視する立場と「自由」を強調する側、それぞれに実は独立の時以来の歴史的な系譜があるというわけですね。コミュニタリアンとリバタリアンの対比について言えば、日本でも、コミュニタリアンの代表的な政治哲学者マイケル・サンデルの『ハーバード白熱教室』（NHK教育テレビ）が一世を風靡するほど話題になり、数多くのメディアでも取り上げられたことがありました。彼の「チケットの高額転売は正当か？」などといった問いかけを覚えておられる方も多いでしょう。サンデルは「社会正義」や「公正」といった概念を非常に重視する立場の人物として知られています。

ただ、そんな彼も自由と平等の対比を、アメリカという「実験的な国家」の建国とその社会構成の原理にまで遡って議論することはなかったですね。内田さんの図式で考えれば、トランプも決して突然変異のように出現したアメリカン・デモクラシーの「鬼子」のようなリーダーではなく、然るべきアメリカの統治システムとその原理の系譜の中に位置づけられるのでしょうね。

内田　トランプは典型的なリバタリアンです。だから、彼には「公共」というアイディアがきわめて希薄ですね。「自分ファースト」のトランプがなぜあれほど人気があるのかとよく不思議がられますけれど、むしろ「自分ファースト」だからこそ人気がある。「自分の自由が最優先」というリバタリアンの生き方を極限化したのがトランプです。トランプに投票した人たちの多くは、建国以来の統治理念に一票を投じたつもりでいたのだと思います。

普通に考えたら、徴兵逃れと税金逃れは政治家にとって致命的なスキャンダルになりそうですけれど、トランプの場合はむしろ支持率が上がった。それは徴兵と納税を忌避するのはリバタリアンにとって「当たり前」のことだからです。

リバタリアンは「自分の命は自分で守る」という人たちです。必要とあれば自分で銃をとって、自分を守る。政府に徴兵されて、いつどこで命を落とすのかを政府に決められることは受け入れられない。税金についてもそうです。「自分の金の使い方は自分で決める。公権力に税金でもってゆかれて、それを誰か知らない貧乏人に再分配されるなんて受け入れがたい」と考える。だから、大富豪のトランプが年間七五〇ドルしか税金を払っていなかったという驚嘆すべき事実が明らかになっても、「私が税金をこれしか払っていないのは、私が賢いからだ」と公言して支持者から拍手喝采を浴びることになった。

アメリカの歪（ゆが）みを生んだ対立

内田　米陸軍はかなり奇妙な成り立ち方をしているんですけれども、それは連邦派と州権派の間で「常備軍を持つか持たないか」で原理的な対立があり、それが解決しなくて、両者の妥協の産物として陸軍の規定ができたからです。

一七七六年の独立宣言から一七八七年にアメリカ合衆国憲法ができるまで一一年かかっていますけれども、これはそれまで存在した一三のステイトの統治の仕組みと新たにできる合衆国の統治の仕組みの間の齟齬（そご）を調整する必要があったからです。とりわけ常備軍を持つべきか持たざるべきかで連邦派と州権派の間には原理的な対立がありました。

連邦派は常備軍を持ち、それを連邦政府が統轄する形を考えていました。普通の国はどこもそうですから。でも、州権派の人たちは常備軍というアイディアそのものに激しいアレルギーを示した。彼らが常備軍保持を忌避したのは、常備軍は容易に権力者の私兵となって市民に銃口を向けるという歴史的経験があったからです。独立戦争を戦った植民地民にとっては、常備軍とはまず英国軍のことであり、この兵士たちは国王の意を体して植民地民に銃を向けた。それに対して、「武装した市民（ミリシア）」たちが勇敢に戦って、最終的に独立戦争を勝利に導いた。だから、戦争をするのは職業軍人ではなく、武装した市民でなければならない。これはアメリカ建国の正統性と神話性を維持し続けるためには譲ることのできない要件だったのです。ですから、独立直後に制定された各ステイトの憲法では、「常備軍は自由にとって危険である」とはっきり明記されていました。そもそも常備軍を持つべきではないと憲法に定めたステイトもありましたし、召集には議会の承認が必要だという制限を課したステイトもありました。いずれにせよ、常備軍は国民を守るものだということは合衆国憲法制定時点ではアメリカ市民の常識ではなかったのです。

それに対して連邦派の人たちは外敵の侵入リスクを強調しました。実際にその時点では合衆国はイギリス、フランス、スペイン、ネイティブ・アメリカンとの軍事的衝突のリスクを抱えていたからです。『ザ・フェデラリスト』[*6]を書いたハミルトン、マディソンたち連邦派の最大の懸念は、外敵の侵入と内戦でした。いくつかのステイトが英仏スペインなどと組んで、国を分断した「代理戦争」が始まることを恐れていた。内戦を防ぐためには軍を連邦政府が直轄する必要があると連邦派は考えた。

でも、この連邦派の主張は結局通らなかった。合衆国憲法の第八条一二項は「連邦議会は陸軍を召集し、維持する権限を有する。ただし、このための歳出は二年を超えてはならない」という州権派に譲歩した文言になっています。

軍隊はどの国でも普通、行政府に属しますが、合衆国では陸軍の召集と維持を連邦議会が有しています。さらに軍隊のための歳出は会計年度を超えてはならないという縛りがかけられました。

明らかな必要性がない限り軍隊を維持することには原則的には反対する、という思想が合衆国憲法には基本精神として書き込まれています。戦争の主体は連邦が管轄する常備軍ではなく、国のすみずみから志願して集まってくる武装した市民でなければならない。

だから、アメリカでは銃規制が進まないんです。銃規制を実現するためには、憲法修正第二条で保障された「市民の武装権」の思想を否定しなければならないからです。

「武装権」をめぐる攻防

姜　武装権は、アメリカにおける銃規制をめぐる議論にも大きな影響を及ぼしていますね。アメリカでは、銃乱射事件が起こる度に銃規制を求める議論が巻き起こります。二〇二一年三月にコロラド州のスーパーで一〇人が死亡した銃撃事件を受け、バイデン大統領は「我々は行動しなければならない」と、銃器購入者の身元確認の厳格化や殺傷能力が高い銃器の購入を規制するなど、より厳しい銃規制法の成立を改めて強く訴えました。しかし、銃規制については強固な反対論もあって、なかなか進展を見せていません。

内田　そうなんです。なぜアメリカに人口より多い四億丁もの銃がなければいけないのか。なぜ年間三万人も銃が原因で死亡しているのにアメリカでは銃規制が進まないのか。その理由は全米ライフル協会というロビー団体が反対しているからだとよく言われますけれど、それほどシンプルな話ではない。憲法修正第二条が市民の武装権を保障しているからなんですね。

独立宣言には政府が人民の生命、自由、幸福追求の権利を阻害する場合には、「人民は政府を改造または廃止し、新たな政府を樹立する権利を有する」と明記されています。市民の武装権は抵抗権、革命権の物質的な基礎条件です。武装権が保障されているからこそ、政府に抵抗し、革命を起こすこともできる。銃は危ないから市民は所持してはならないということは、独立宣言に謳われている抵抗権・革命権を放棄するということになる。

合衆国憲法にはさすがに抵抗権・革命権は明記されませんでした。連邦派が反対したからです。当たり前ですよね。独立宣言は自分たちの革命闘争を正当化するために起草されたものですから、革命は正しいことに決まっている。でも、合衆国憲法制定のときはもう国ができているわけで、せっかく多大の犠牲を払って建国したばかりの国に対して、気に入らなかったらいつでも改造または廃止していいですよと言うわけにはいきません。だから抵抗権・革命権は認めなかったけれども、ぎりぎり妥協して、武装権だけは認めて、修正第二条で「よく訓練されたミリシアは自由なステイトの安全のために必須のものであるから、人民が武器を所有し携行する権利は侵してはならない」と定めた。「よく訓練された（well regulated）」と「自由なステイトの安全のため（to the security of a free State）」というふたつの限定条件をつけて、武装権を勝手に行使できないように縛りをかけたわけですけれど。

ですから、大統領選の後、連邦議事堂に乗り込んでいったトランプ支持者たちは、主観的には「ミリシア」のつもりだったんだと思います。独立宣言に明記してある市民の抵抗権を行使したつもりだった。彼らの理屈では、「アメリカ人民の生命、自由、幸福追求の権利を阻害する『ディープステイト』は改造・廃止する権利がある」ということになる。侵入した人たちが、スマホで自撮りした映像をネットに上げたりしていたのは、自分たちが犯罪行為をしているという意識がなかったからです。

でも、この行為はたぶん憲法違反として処罰されることになると思います。修正第二条の前に、信教・言論・出版・集会の自由、請願権について定めた修正第一条があります。そこでは確かに市民が「苦痛の救済を求めて政府に請願する権利」は認められているのですけれども、そのために集会する場合に「平和的に(peaceably)」という副詞がひとつ挿入されているんです。今回の議事堂乱入は憲法に保障された「請願権の正当な行使」だと弁護士は主張すると思いますけれど、死者が五人も出た以上、「平和的な集会」だったとはさすがに強弁できないでしょう。

でも、こういう事件があってから改めて合衆国憲法を読むと、建国期の連邦派と州権派の対立と葛藤の中でアメリカの統治機構が設計されたという事情がよくわかります。そして、今日の国民的分断の基本構造は二五〇年前から変わっていないということもわかります。同じ対立がずっと続いている。僕たち日本人にはぜんぜん意味のわからない大統領選の選挙人制度もそうですよね。あれも連邦派と州権派の対立の妥協の産物ですから、我々には意味がわからない。

姜　やっぱり、そうですか。二〇二〇年の大統領選では、この制度のことが日本でも盛んに報道されていました。「選挙人による投票については、州ごとに実施して結果を出す」「各州で相対的に有利になった候補が、その州の選挙人票を総取りする」といったルールになっていますが、我々にはなじみのない制度で、どうしてこのような方式を取っているのかピンと来ないというところがあるかもしれません。

内田　あれは大統領を最終的に決めるのは国民ではなく、ステイトだという考え方を表しています。大統領選の制度を決めるときに、連邦派は当然全国民に等しく一票を与えて、国民が直接大統領を選ぶべきだと考えた。でも、州権派は「大統領を選ぶのは国民ではなくステイトだ」と主張して譲らなかった。だから、国民の投票数では勝っていたヒラリー・クリントンが、選挙人数でトランプに負けるという二〇一六年の大統領選挙のような奇妙なことが起きる。

連邦議会もそうですね。上院の議員定数はステイト当り二名と決まっているけれど、下院議員の定数はステイトの人口比で決まる。カリフォルニアにしてみれば、人口が四〇〇〇万人いるのに、どうして人口六〇万人のワイオミングと同数の上院議員しか出せないのか不公平感があると思うんですけれど、どうしようもない。

なぜ「トランプvs.サンダース」にならなかったのか

姜 今の内田さんの話を聞いて思ったのは、サンダースが連邦派の流れを汲む政治家であるなら、なぜ二〇二〇年大統領選が「トランプ vs. サンダース」にならなかったのか、ということです。

たとえば、トランプが没落しつつある中産階級や労働者といった、「白人」の多数者意識を結集する対抗勢力の代表だとすると、サンダースは学生や若者、さらに人種的な少数者などのグラスルーツを代表するリーダーで、このふたりで大統領選を戦っていたら、二〇二〇年大統領選はもっと面白かったんじゃないか、と思うんですね。

トクヴィルに話を戻すと、『アメリカのデモクラシー』でトクヴィルは、当時のアメリカに存在していた様々な「中間団体」について述べていましたね。教会や慈善団体といった中間団体が社会に網の目のように張りめぐらされていることが、アメリカの民主主義にとっていかに重要かということを彼は書いたわけです。トクヴィルからほぼ七〇年後、マックス・ウェーバー（一八六四〜一九二〇。近代を代表するドイツの社会学者）も彼のアメリカ体験をもとに、近代の実験場とも言える新大陸では宗教的な教派に由来するようなアソシエーションが個人と社会をつなぐ媒介となっていると指摘しています。アメリカは個人主義の強い国というイメージがありますが、他方でそうした中間団体やアソシエーションがアメリカのデモクラシーの潤滑油のように働いていたわけです。もっともそうした中間団体は、ウェーバーの時代にはマスメディアによって左右される情動的な大衆による民主主義の出現によって解体されつつあったわけですが。

現代に話を戻すと、クリントンやオバマの「リベラルの時代」は格差が拡大し、同時に社会の原子化（アトマイゼーション）がより進み、リベラルな中間層が痩せ細っていったと思います。それに対し、トランプや共和党右派はティーパーティー（「小さな政府」を求める右派系の草の根運動）やキリスト教福音派[*7]のネットワークに支えられましたが、こうした中間団体がトランプ支持者でもある社会的弱者にとってのセーフティネットになったかどうかは、はなはだ疑問です。

そうした状況で格差を埋めていくには、「自助・共助・公助」で言うところの公助が所得再分配の中心として機能しなければなりません。だから、「自分ファースト」のトランプ旋風の中で民主社会主義を掲げるサンダースが出てきたとき、僕は「やっと平等の問題を考えていく人が現れた」とちょっと期待したんです。

しかし、二〇一六年の大統領選に続き、サンダースはまたもや民主党の候補になれませんでした。政権の座についたバイデンがサンダースの支持層を政権に組み込んでいくかどうかは非常に大きなファクターになると注目していましたが、どうやらその動きはないようです。

内田　そうですね。でも、サンダースやオカシオ・コルテスといった人たちがアメリカで少数派にとどまるのは当たり前なんだと思います。彼らは、社会的平等は公権力が介入しなければ実現しないと考えていますけれど、これは「アメリカン・ドリーム」というアイディアそのものを否定していることになる。

アメリカという国の最大の魅力は社会的流動性の高さにあります。無一文の労働者が一山当てて大富豪になるという一発大逆転の事例がこれほど多い国は他にはありません。

一九世紀中ごろから段階的に実施され、最終的には南北戦争中の一八六二年にリンカーンによって制定されたホームステッド法は、アメリカ市民が国有地に定住して、五年間開墾すると一六〇エーカー（六五ヘクタール）の土地を無償で所有できるという法律でした。移民たちは、とにかく五年間地面にはりついてがんばれば地主になれた。その夢を求めて、毎年何十万人という人たちがアメリカに移住し、その移民の波のおかげでアメリカの西部開拓は短期間に成し遂げられました。

無償で払い下げるべき国有地は一九世紀末にはもうなくなってしまいましたが、意欲さえあれば誰でも生産手段を所有できるというホームステッド法のアイディアは、当時のヨーロッパの社会主義者や自由主義者にとってもたいへん魅力的なものでした。カール・マルクスも早くからこの法律を高く評価しており、マルクス自身もテキサスに移住するプランを持っていたくらいです。

西部劇のヒーローが体現するアメリカ

内田　西部劇でも、「自由か平等か」「中央集権か地方分権か」「リバタリアンかコミュニタリアンか」という対立が多くの物語の基本構造をなしています。西部劇って、「アメリカとはどういう国であるべきか」という問いを人々に繰り返しつきつけるものなんですよ。

姜　アメリカ人で西部劇が好きな人は多いですよね。

内田　『リバティ・バランスを射った男』（原題：The Man Who Shot Liberty Valance）という一九六二年制作のハリウッド映画があります。主役の一人トム（ジョン・ウェイン）は自分の身は自分で守る、正義は自力で実現する。公権力の支援を求めないというマッチョな西部男です。もう一人の主役はランス（ジェームズ・ステュアート）という東部のロースクール出身の弁護士です。彼はフロンティアに法と秩序をもたらそうと気負って西部にやってきたのですが、銃もろくに扱えない痩せたインテリなので市民たちにはさっぱり頼りにされない。しかし、決闘でリバティ・バランスという名うての悪漢を射ち殺して、一躍勇名を馳せる。そして、市民の輿望を担って州議会の代議員に選出され、やがて上院議員にまで成り上がる。

無法状態の街で、無力な市民たちが悪漢の暴虐に苦しんでいるときに「俺は一人でも戦う」という男が出てきて、人々を救って、町に平和と秩序をもたらす……というのは西部劇の定型ですけれども、これがドラマとして盛り上がるためには、その前段において「法秩序が機能していない」ということが絶対条件になります。事実、ほとんどの西部劇がそういう設定なんです。保安官が町のボスに買収されている、連邦保安官と連絡がつかない、判事が旅に出ている……いろいろパターンは違いますけれども、法の名において強権を行使できる公人が存在しないという状況がまず設定されている。そして、さあ、お前ならその場合にどうするというシリアスな問いがつきつけられる。

西部劇では、「公権力が介入してくるまで、何もしないで待とう」という町の人たちと「俺は一人でも戦う」という男の間に対立がある。そして「公権力待望派」の人たちは、だいたい主人公を裏切って、孤立させる卑怯者たちとして描かれています。

西部劇というのはほぼすべてがリバタリアンを賛美する物語なんです。「公権力の介入があるまで、眼前の不正を見過ごす人間は卑怯者だ」という説話は、アメリカ人にとって非常に説得力がある。

姜　まさに「アメリカンヒーロー」ですね。

内田　『リバティ・バランスを射った男』では、映画の最後にリバティ・バランスを射ったのは弁護士のランスじゃなくて、ガンマンのトムだったということが種明かしされます。トムは銃の裏づけがないと秩序が保てない時代がいずれ終わることを予感して、弁護士ランスに自らの功績をあえて譲り、法に基づいて正義が行われる社会の実現を彼に託そうとしたのです。この映画はそういう端境期の緊張感がよく表現された映画だと思います。

姜　一九世紀の西部には、映画のような無法地帯で生きていた人間が大勢いたということですよね。ジョン・ウェインが演じたカウボーイのような人がそうした状況を生き抜いていって、アメリカン・ドリームというアイディアに説得力があったのは、ゴールドラッシュのカリフォルニアで金鉱や銀鉱を掘り当てたり、テキサスで石油を掘り当てたり、鉄道を敷設したり、新聞を発行したり……、業種はいろいろですけれど、スタート時点では無一文だった労働者が、刻苦勉励して億万長者になり、豪邸に住んで、贅沢の限りを尽くすという事例が身近にいくらもあったからです。「石油王」とか「金融王」とか「鉄鋼王」とか「新聞王」とか、「なんとか王」という称号はどれもその時代のものですが、ロックフェラーも、モルガンも、カーネギーも、ハーストも、スタンフォードも、皆この時代における立志伝中の人物です。

内田 アメリカン・ドリームというアイディアに説得力があったということでしょうか。

一方に財閥の主となる人がおり、一方には西部の荒野で飢えて息絶える人がいる。マーク・トウェインの『西部放浪記』はこの時代のフロンティアを素材にした物語ですけれども、一攫千金を夢見て西部にやってくる男たちの浮き立つような多幸感が活写されています。スマートで、ガッツと行動力があって、アイディアが豊かな人間だったら、フロンティアに飛び込めば一攫千金のチャンスがあるということについては、広い社会的合意が存在した。

だから、組合を組織して、労働者を連帯させ、資本家と戦って、少しずつより良い労働条件を勝ち取ってゆく……という労働運動のプロセスは、この時代のアメリカではずいぶん迂遠（うえん）な道筋に見えたんだと思います。左派の運動というのは、まず労働者を連帯させて、「政治的に正しい」綱領を掲げて、組織の力でそれを一歩ずつ実現してゆくというものになるわけですけれど、そういうやり方はアメリカン・ドリームとはなじまない。

一九世紀末のアメリカではプロレタリアートにも大富豪にのし上がるチャンスがあった。左派がめざしている社会的平等は、アメリカン・ドリームを実現して成功した人間から税金を取って、それを貧しい人に再分配するということですから、泥水を啜（すす）り、草の根をかじって夢を実現した人間からすれば「余計なお世話だ」ということになりますよね。アメリカ人の一部が社会主義に激しい拒否反応を示すのは、それがアメリカン・ドリームというアイディアと相性が悪いからだと思います。

姜　なるほど、確かにそういう感じはありますね。

ベーシックインカムに舵を切るアメリカ

姜 でも、もしかしたらアメリカは少し変わるかもしれない、という気もします。すでに現金給付はトランプ時代に決定されてはいましたが、二〇二一年三月にバイデン政権も、コロナ対策で一兆九〇〇〇億ドル（約二〇〇兆円）規模の大型経済対策法案を成立させ、これにより、一人当たり最大一四〇〇ドル（約一五万円）の直接給付をすることになりました。これはある種のベーシックインカムみたいなものですよね。こういう直接給付をアメリカがやらざるを得なくなったのかと、僕は仰天したんです。だって、これは社会主義じゃないですか。

トランプを通じてかサンダースを通じてかはわかりませんが、彼らがマイノリティの対抗勢力のようなものに先鞭（せんべん）をつけたことによって、平等の実現ということを拒んできた、アメリカのいわば岩盤の三分の二ぐらいを少し揺り動かすような兆候が出てきたと言うことでしょうか。

内田 二〇二〇年の大統領選でも、アンドリュー・ヤングという民主党の候補者がベーシックインカムの導入を公約に掲げて予備選に出ましたけれど、さっぱり人気が出ずに、すぐに脱落していました。

でも、ベーシックインカムの議論自体は、アメリカでは二〇一〇年代から始まっていたんです。議論のきっかけはＡＩの導入で大規模な雇用の消失が起きるという予測のせいです。たとえば自動運転が導入されると、トラック運転手という仕事がなくなります。アメリカにはトラック運転手が三五〇万人いますが、彼らが一斉に職を失う。さすがにこれだけの規模の失業者に対しては「自己責任だ」と突き放すわけにはゆかない。政府が生活を支え、再就職の手立てを整備しなければならない。そういう議論はここ数年アメリカでずっとやってきてはいるんです。

でも、実際に起きたのはＡＩ導入による雇用消失よりも先に、コロナ禍による生活困窮だった。職を失い、生活が立ち行かなくなった人たちが大量に出て来た。パンデミックによる失職は個人の責任じゃありません。やむなくアメリカは社会主義的実験を始めざるを得なくなった。

こういう動きを見ると、これまでのアメリカでは少数派だった「連邦政府にはすべての国民が等しく健康で文化的な生活を送る権利を保障する義務がある」という社会主義的な発想が、だいぶ広がってきているという感じがします。その政策で最も恩恵を蒙る(こうむ)のは、社会主義に反対している低所得者層のトランプ支持者たちなんですよね（笑）。

姜　非常に面白い指摘ですね。

内田　バイデンが「社会的平等を実現する」と言い出したということは、トランプの時代に「自由」に大きく触れた針が、今度は「平等」に揺れ戻しているということだと思います。

　バイデンを見ているとわかりますが、平等主義ってあまり見た目がパッとしないんですよね（笑）。それよりは「俺のことは俺が決める。公権力には口を出させない」の方がだいぶ見栄えがいい。

姜　バイデンがパッとしないという感じは、よくわかりますね。確かに、彼の言葉にはトランプのような煽り文句が散りばめられているわけではないですし、ストレートな力強さにも欠けています。そういう意味では、バイデンの演説にわくわくする人は少ないかもしれませんね。

　いずれにしても、コロナ禍でトランプも個人への現金給付を主張していたわけですし、バイデン政権になっても二〇〇兆円規模の経済対策を打ち出しているわけですから、リバタリアンかリベラルか、右派か左派かにかかわらず、明らかに国家──政府が「最後の解決策」（ultima ratio）として登場していることは間違いありません。この意味で経済学者カール・ポラニーの言葉を借りれば、一九三〇年代と同じような「大転換」が起きていると言えるでしょう。アメリカはグローバルな「自己調整型市場（マーケット）」から「国家介入主義」へとシフトしつつあるわけで、この点だけを見ると、社会主義的なアイディアが復活しているように見えるのでしょうね。要するに、これまでの「マーケットにまかせれば、すべてうまくいく」から、「国家の積極的な介入なしには、マーケットもダメになる」に大きくシフトしているわけです。少なくとも、コロナ禍の前、これほどの巨額の財政出動を大統領が口に出したら、正気の沙汰ではないと思われたでしょうから。

アメリカが隠蔽するマルクスの影響

内田　でも、社会主義的なアイディアは別に舶来のイデオロギーではなくて、アメリカの土着の思想なんです。なにしろ一九世紀末のアメリカは世界の社会主義労働運動のセンターだったんですから。

一八四八年にヨーロッパ各地で同時多発的に起きた市民革命[*8]が破綻したあと、プロイセン、オーストリア、フランスなどの社会主義者、自由主義者たちは祖国で官憲に追われて、英国、オーストラリア、そしてアメリカに逃れました。この人たちは「四八年世代（フォーティエイターズ）」と呼ばれました。アメリカでは、ドイツ系の人たちがミシガン、イリノイ、ウィスコンシンあたりに移住してきました。彼らは高学歴、高度の職能者でしたから、移民した先でも様々な事業を試みて成功し、移民集団内の指導層を形成することになりました。

このヨーロッパから逃れて来た社会主義者たちが、一八五〇年代以後のアメリカの「左派」を形成します。彼らは南北戦争では当然リンカーンを支持して、北軍に参加します。そして、南北戦争の終わったあとの一八七〇年代、第一インターナショナル[*9]はロンドンを離れて、ニューヨークに移ります。つまり、この時点で世界の労働運動のセンターはニューヨークにあり、その書記長はアメリカ人だったのです。

一八六四年にリンカーンが大統領に再選されたときに、第一インターナショナルはリンカーンに祝辞を送っているんですけれど、起草したのはマルクスなんです。それに対して、在ロンドン米大使館から返信がきている。「アメリカ合衆国はヨーロッパの労働者たちの支援の言葉から闘い続けるための新たな勇気を得た」って（笑）。

姜　そんなことがあったんですね。

内田　マルクス自身はテキサス移住の夢を果たせなかったんですけれども、アメリカの世論形成にロンドンから大きな影響を与えました。当時ニューヨークで最多の発行部数を持っていた日刊紙『ニューヨーク・トリビューン』のロンドン特派員に採用されて、一八五一年から六一年までの一〇年間で四〇〇本もの原稿を寄稿したからです。うち八四本は無署名記事で『トリビューン』の社説として掲載されました。つまり、この時期『トリビューン』の二〇万読者はほぼ一〇日に一本のペースでマルクスの書いた政治経済分析記事を読んでいたんです。

一八五一年にフランスではルイ・ボナパルトのクーデター[*10]がありました。フランス革命以来、西欧民主主義のトップランナーだったはずのフランスで「帝政」という政治的反動が起きた。いったいどうしてそんな信じがたいことが起きたのか？　アメリカにはそれをうまく説明できる人がいなかった。そこでニューヨークでドイツ語話者たちのために『革命』という雑誌を出していたヨゼフ・ヴァイデマイヤーというマルクスの『新ライン新聞』[*11]以来の盟友が「パリで起きたクーデターの歴史的意味を、ロンドンにいるマルクスに、ニューヨークのドイツ語話者のために解説してもらう」というややこしい仕事を依頼した。マルクスがそれを受けて書いたのが、『ルイ・ボナパルトのブリュメール一八日』です。

ます。おそらく『トリビューン』の社主だったホレス・グリーリーが「ロンドンにカール・マルクスというたいへんシャープな政治記者がいる」ということを知って、話を持ち込んだのだと思います。その頃マルクスはものすごく貧乏でしたから渡りに船と飛びついた。そして、以後一〇年間のマルクス家の家計を支えたのは、ニューヨークの新聞社からの原稿料だったのです。

マルクスは南北戦争前の一〇年間、『トリビューン』にインドの植民地支配について、アヘン戦争について、アメリカの奴隷制について、多くの記事を書きました。南北戦争前の北部の世論形成にマルクスはかなり重要な役割を演じていたと思われます。でも、アメリカ史におけるマルクスの影響、マルクスの理論が南北戦争の帰趨にどういう形で関わったのかというあたりのことはアメリカの歴史ではほとんど語られることがありません。リンカーンとマルクスが政治的につながりがあったということだって、今のアメリカ人はほとんど知らないんじゃないでしょうか。

デモクラシーの強みは葛藤があること

姜　そうすると、一度封印されていた社会主義の流れがここに来て再び出てきたということなんでしょうか。

内田　そうだと思います。少なくとも一九世紀の間は、社会主義はアメリカではイデオロギー的なタブーなんかじゃなかったわけですから。でも、一八七〇年代から、いわゆる「金ぴか時代[*12]（The Gilded Age）」を迎えて、社会主義運動はがたがたになってしまう。元気のいい連中は、組合を組織して、こつこつと雇用条件を改善する努力よりも、一攫千金のアメリカン・ドリームの方に惹かれていったからです。だから、この時期に社会主義の組織的・理論的進化がアメリカでは起こらなかった。

それでも、アメリカが社会主義的な政策を採択した時代はあります。一九三〇年代初頭の大恐慌の後のニューディールがそうです。雇用を市場に委ねず、連邦政府が介入して、特に緊急性のない大規模な公共事業を行い、無理やり雇用を創り出し、社会的平等を実現しようとしたわけですから。

でも、それは緊急避難的な措置であって、景気がよくなるともとに戻る。そして、景気が悪くなって社会的不平等が限度を超えると、社会主義的な政策を求める市民の数が増えて来る。そういうふうに増えたり減ったりということを繰り返しているんだと思います。

アメリカ社会は自由か平等かの対立で分断されています。でも、「分裂を含んでいる」ということが実はアメリカの強みなんじゃないかと僕は思っています。単一の統治理念で統合された国家は脆い。それよりは内部に対立や葛藤を抱えている国の方が強い。これは人間の場合と同じです。葛藤が人間を成熟させる。同じように、国の場合も、統治理念に矛盾を抱え込んでいる国は成熟せざるを得ない。折り合いのつかないものをなんとか折り合いをつけようとするときに社会は進歩する。アメリカの最大の力は復元力ですけれども、これはどんな政権のときでもメインストリームに対抗するカウンターが存在して、激しく異議申し立てをしていることから生まれる力です。だから、メインストリームが大きな失策を犯しても、カウンターが出てきて復元する。アメリカはそういう意味でかなり特殊な国だと思います。なじみの悪い統治原理が相克している。それが健全に機能しているときには復元力とか開放性というメリットをもたらし、度が過ぎるとそれが国民的分断をもたらす。

姜　今のお話では、アメリカの底力は自由と平等という相容れないふたつの統治理念を追求するという、その葛藤の中でこそ発揮されるということですね。大統領選をめぐってアメリカの分断の深さが露呈し、超大国アメリカの衰退が不安視されていますが、実はそうとも限らないということでしょうか。

内田　僕はそう思います。建国のはじめからアメリカは分断されていて、適度な分裂は活気をもたらし、過剰な分断は停滞をもたらすというだけで。

新自由主義イデオロギーというのはアメリカの二大統治理念のうちの自由だけを過剰にドライブさせたイデオロギーだと思います。アメリカなら、自由の暴走を平等が抑止してくれるわけですけれども、日本には統治理念上の葛藤なんかありませんから、新自由主義イデオロギー下で自由はひたすら暴走を続ける。現に、新自由主義者たちは絶対に「平等」なんて口にしないでしょう?

僕らが子どもの頃は、今よりは「平等」という言葉が口にされる機会が多かったと思います。快傑黒頭巾でも月光仮面でも「正義の味方」は社会的公正の実現のために戦っていた。自分ひとりの自由なんかのために戦っていないですよ。「正義の味方」というのは「強きをくじき、弱きを助ける」ものと相場が決まっていた。

今はそういうヒーローってもう見ないですよね。五人組のマスクマンが飛び回る「戦隊もの」ってありますけれど、彼らは誰か「偉い人」から来る命令に従って、誰だかよくわからない敵と、何のためだかよくわからないままに戦っている。「敵」はいるけれども、もう実現すべきミッションはどこにもない。

バイデン政権で対中外交はどうなるか

姜　ここまで、内田さんからアメリカについての非常に興味深いお話をうかがうことができましたが、本章の議論を締めくくる前に、バイデン新政権の外交と日本と東アジアの今後についても取り上げておきたいと思います。

前の対談（『アジア辺境論』）でも、これからの日本は日韓台の連携に活路を求めるべきだという話をしましたが、その議論を深めるためには、やはりバイデン新政権の外交戦略が今後どうなっていくかということが大きなファクターになります。

先にも指摘したように、バイデン政権になり、トランプの対中国強硬外交と異なっているのは、いわば同盟あるいは準同盟の国々とのチームプレーで中国を包囲し、「経済安全保障」のネットワークを張りめぐらせることで、中国をグローバルなサプライチェーンから引き離す（＝デカップリング）戦略に傾きつつあることです。わかりやすく言えば、トランプが「アメリカファースト」で、単独でその時々の国益の判断に基づいて中国にアプローチしていたとすれば、バイデンでは徒党を組んで中国を締め上げる戦略に変わったということでしょう。

　ただ、バイデン政権としては地球温暖化問題への対応など、巨視的な環境問題や北朝鮮の「非核化」の問題など、妥協と協力が成り立つ分野では「利中」（中国を利用する）の戦略を取りつつ、中国へのフレクシブルな包囲網をつくり上げていくつもりだと思います。

内田　中国側はバイデンよりはトランプの勝利を願っていたと思います。トランプ政権が二期続いたらアメリカの国際社会におけるプレゼンスが劇的に低下することがわかっていましたから。だから、バイデンが勝ってアメリカが息を吹き返したことにちょっとがっかりしているかもしれません。とはいえ、トランプが中国敵視政策をあのまま進めていたら、場合によっては軍事的衝突のリスクが生じたかもしれない。どちらが中国にとって良いことだったのか、まだ中国政府は判断しかねているんじゃないですかね。

　習近平とバイデンは、オバマと胡錦濤（こきんとう）の時代にそれぞれ副大統領と副主席でした。だから、実は任期中になんだかんだで八回か九回ぐらい個人的に会っているらしいです。どういう人間かということはだいたいわかっている。だから、信頼関係まではゆかなくても、話は通じると思います。トランプ時代よりは米中のチャンネルは太くなるんじゃないかな。

　でも、それと米中対立が解決するかどうかは別の話です。台湾、香港の一国二制度*13の危機、新疆ウイグルの人権問題といった核心的なことについては、米中ともに譲れないでしょう。バイデンが譲歩できるとしたら、貿易における米中のデカップリングを緩和するくらいでしょう。それでも、米中戦争のリスクはバイデンになったせいで、少しは抑制されたんじゃないかと思います。

姜　どうやらバイデン政権は、北京(ペキン)政府が将来、台湾への武力侵攻すら想定しているのではないかと危惧し、「台湾有事」を東アジア戦略の焦点にしようとしているようです。また、戦略的な製品になった半導体の世界的な生産基地としての台湾の位置が、米中両国にとって重要性を増しているために、それが異例ともいえる米国の台湾へのコミットメントにつながっているのだと思います。こうしたバイデン政権の台湾への肩入れは、中国からみると「ひとつの中国」の否定であり、内政干渉であるだけでなく、中国の「核心的利益」を侵す分裂工作に映るでしょうね。その意味で当分、武力侵攻はないとしても、台湾海峡で米中間の偶発的な軍事衝突が起きる可能性は捨て切れませんね。

内田　その代わり、アメリカはもう中国に製造業のアウトソーシングをするのは止めるでしょうね。今回のコロナ禍でも、マスクや防護服などの医療資源の多くの製造を中国に頼っていたせいで、いざというときアメリカ国内に感染症のための医療資源の戦略的備蓄がほとんどなかった。薬品や医療品のような戦略的物資は、これからは割高でも国産にシフトすると思います。

ノープラン・ノービジョンの日本の外交戦略

姜　当然のことながら、朝鮮半島問題は米中が交渉していく上でのチェスの駒として使われていく可能性があるわけです。特に北朝鮮経済の九割近くは中国との貿易で成り立っていますから、中国が北朝鮮問題をアメリカとの交渉の材料に使っていくということは十分、考えられます。ただどうやらバイデン政権の北朝鮮政策は、トランプ型のトップダウン方式での一括妥協による非核化ではなく、かなり長いスパンにわたるステップ・バイ・ステップの、段階的な相互主義による非核化のアプローチを取るのではないかと思います。事態のこれ以上のエスカレーションを防ぎつつ、制裁だけでなく、対価を与えながら、平壌(ピョンヤン)に非核化への取り組みを迫っていく長期的な戦略ですね。

これは楽観論かもしれませんが、北朝鮮が瀬戸際の挑発的な行動に走らなければ、朝鮮半島での有事の可能性は随分と低くなり、むしろ台湾有事の危機の方が大きくクローズアップされるかもしれません。おそらく、米中の間で非常に多元的なゲームが展開されていくことになると思いますが、そうした状況でバイデン政権とパートナーシップを組む日本の外交スタンスはどう変わっていくのか、内田さんの考えをぜひお聞きしたいですね。

内田 普通であれば、アメリカの大統領が交代して、中国との外交関係も変わると、日本の外交戦略もそれに応じて変わるはずですけれど、日本は例によってノープラン・ノービジョンですね。相変わらず、「ホワイトハウスの指示に従っていればいい」と思っている。菅首相は就任以来、外交面でのメッセージはほぼゼロですね。国際社会が耳を傾けるような日本固有の、指南力のあるメッセージを発信するということができない。そもそも発信すべきメッセージがない。その点では前政権から変わっていないと思います。

姜 つまり、菅政権に外交ポリシーがあるとしたら、それは出たとこ勝負だけだ、ということなんでしょうかね。

内田 日本の外交の基本は「ホワイトハウスから睨まれない」ということだけでしょう。誰が総理大臣であっても、ホワイトハウスのご機嫌を損ねたら、その時点で政権を維持できなくなる。そのことだけは安倍も菅もよくわかっている。だから、ひたすらアメリカの出方を見る。

でも、それで彼らを責めるのはちょっと酷だとも思うんです。この外交的無能は昨日今日始まった話じゃないから。
明治維新後に近代国家を建設するというときだって、結局は与えられた環境に適応して生き延びてゆくことに必死で、世界に向けて日本らしいメッセージを発信するということはついにできなかった。帝国主義列強に植民地化されることには抵抗できたけれども、その抵抗の行く先は日本自身が帝国主義国家になって隣邦を植民地化することだった。すでに始まっているゲームに後から入って、同じゲームのプレイヤーになるということが国家目標であって、弱肉強食の帝国主義ルールに代わる、「新しいゲーム」のルールを提出するということはできなかった。「キャッチアップする」というのは「空気に流される」ということと実は同じことですから、日本人の得意技なんですよね。

姜　国内的にも対外的にも、自分なりの基準をつくり、それに従って日本なりのメッセージを発して道理や現状を変えていくということが出来づらい。これは、日本社会のひとつのエートス（集合的心性）のようなものになっているような気がします。丸山眞男が「『現実』主義の陥穽」という論考を書いていましたが（『〔新装版〕現代政治の思想と行動』所収、未來社、二〇〇六年）、今の日本において、リアリズムや現実主義というのは、自分がつくり出すものではなくて、体制がつくったものにいかに順応するかということになっているわけですよね。「自称リアリスト」ほど酷い状況になっていて、そういう後出しジャンケン的出たとこ勝負というやり方がひとつの習性になっているということでしょう。

　こういう、リアリズムではない考え方があたかもリアリズムのように語られるという状況が日本で続いていくというのは、やはり自分たちで現実を変えていくインセンティブがなくなっているということの表れなんでしょうか。

内田　丸山眞男は東京裁判の被告たちを取り上げて、A級戦犯たちにとって現実とは「つくりだすもの」ではなくて、「すでにあるもの」、「どこかよそからやってくるもの」だと書いていましたね。現実というのは自然物のようにすでにそこにある。動かすことができない。だから、それにどう適応するかだけが問題になる。既成事実に追随するだけで、現実を改変するビジョンや理念を自力で創出できないという点では、戦犯たちも、今の内閣も変わりません。

姜　やっぱりそうですか。

内田　安倍晋三の場合は、国民感情を煽り立てて、自分のめざす方向に引きずり込もうという能動的なところがありましたが、菅義偉にはそういうイデオロギーはあるようには見えません。ただ「空気」を読んで、流れに合わせて様々な術策を弄するだけで。調整役としては手際がよかったのかもしれませんが、「政治生命をかけて実現したい」ということが何もない。現に、総理になって最初に言ったのが「自助・共助・公助」でしょう？　要するに、国民に向かって「政府が国民生活にコミットするのは最小限にしたい」と言ったわけですよね。国政のトップに立った人間が最初に口にしたのが「なるべく政府に苦労をかけるな」「政府に仕事をさせるな」ということだった。それほど仕事がしたくないなら、なぜ総理大臣になんかなりたがったのか、僕にはよくわからないです。そのあとも携帯電話料金の値下げやGo Toキャンペーンというような妙に具体的だけれど、「国策」というにはほど遠いちまちました政策を出してきた。それから日本学術会議の新会員任命拒否で、日本の学者たちを相手に「どっちがボスか」すごんでみせるという、政治的緊急性のまったくない「マウンティング」をしてみせた。

その程度の人物ですから、米中関係の今後についても「アメリカの言うことに従います」以外には特段の意見はないと思います。

反動と暴走が生むものは

姜　そうすると、大きな時代の変わり目にもかかわらず、日本の外交は場当たり的に、空気を読みながらブレーキをかけたりアクセルを踏んだりということになりそうですね。こういう状況は今後も続いていくと内田さんは見ていますか？

内田　日本人は、極限まで行って、そこで壁に当たって壊れると、今度はバックラッシュで反対方向に暴走を始める、そういう国民性なんです。そういうふうな極端な仕方でしか方向転換ができない。だから、統治機構が壊れるまで惰性が続くと思います。そろそろ壁が近づいてきているという感じはしますけどね。

姜　吉田茂（一八七八〜一九六七。第四八〜五一代内閣総理大臣。サンフランシスコ平和条約を締結）も、振り子が極端に傾けばもう一方に必ず反動が来るという「振り子論」を唱えていましたが、言葉を変えれば、その変化が良い方向に向くかどうかは保証の限りではないけれども、やはり壁にぶち当たらないと変化が起きないということですね。ただ、その変化がどういうものになるかは、何か科学的に導けるということではなくて、偶有性によって左右される面が多いということになるでしょうね。

内田　そうですね。どう変化するかは予測し難いですね。ただ、壁に当たったところで、とりあえず各界でこれまでリーダーシップを取っている人たちが表舞台から退場して、世代交代が起きるとは思います。それによってだいぶ風通しが良くなるんじゃないかな。

姜　僕もそんな気がしています。日韓関係についても、今は政治的には両国の関係をどう結び直せばよいのか見えない状況ではあるけれども、世代交代によって、少なくとも良い方向に向かっていくのではないかと思っているんです。もしかしたら、内田さんと僕の目の黒いうちに日韓関係が急速に良くなる可能性も、ちょっとはあるかもしれませんが、そのためにも、今以上に悪くならないような政治の仕組みを考えていくしかないですね。

註

＊1　ジョゼフ・マッカーシー／魔女狩り

ジョゼフ・マッカーシーは一九〇八年米ウィスコンシン州生まれの政治家。一九五七年没。第二次世界大戦後、共和党の上院議員となる。一九五〇年代初頭、当時アメリカで影響力を増しつつあった共産主義を告発し、国内の「親共産主義者」と目される人物を、確たる証拠が無くともレッテルを貼って次々と摘発・攻撃していった。マッカーシーのこうした動きは、キリスト教社会の「**魔女狩り**」にならって「レッドパージ（赤狩り）」と呼ばれた。なお、「魔女狩り」とは、中世から一八世紀初め頃までのキリスト教社会で行われていた、悪魔に魂を売った「魔女」と認定された人々を処刑したり追放したりする行為。異端とされた人々を排斥する行動を指す言葉としても用いられる。

＊2　オバマケア

二〇一〇年にオバマ大統領が署名した医療保険制度改革法の通称。アメリカでは日本のような国民皆保険制度が歴史的に存在しないため、無保険者が多く、きわめて高額な医療費の負担が個人に降りかかるなど、様々な問題を引き起こしてきた。そうした状況を改善すべく、原則として全国民の医療保険加入を義務づけ、低所得者への補助金支給や公的医療保険の適用範囲拡大などを定めた。しかし、公的医療保険や大半の民間保険がカバーできる医療の範囲は依然として限定的であり続け、また民間保険への加入を求められたことでかえって経済的負担が増加する国民が生まれるなど、多くの矛盾を含んだ制度であった。

＊3　**ジム・クロウ法**
アメリカ南部において一八七〇年代から一九六四年の公民権法成立までの間に存在した、人種差別的内容（とりわけ黒人差別）を持った自治体レベルでの法令を総称したもの。たとえば、電車やバス、食堂や病院など公の場における白人と黒人の物理的隔離を定めたアラバマ州法や、選挙に際して黒人に識字テストや投票税を課した多くの南部州での州法などが含まれる。

＊4　**公民権法**
一九六四年にリンドン・ジョンソン政権のもとで成立した、アメリカ国内での人種差別（とりわけ黒人差別）を禁止する法律。キング牧師らを中心にして、アフリカ系アメリカ人が平等な権利を求めて起こした一九五〇〜六〇年代の「公民権運動」を受けて成立した。

＊5　**コミュニタリアン／リバタリアン**
コミュニタリアンとは共同体主義者を指す。共同体の価値を重視する政治的立場。一方、**リバタリアン**とは自由至上主義者を指す。個人の自由に最大の価値を置き、国家をはじめとする公権力の介

入を可能な限り排除しようとする政治的立場である。両者の思想は対照をなしている。

＊6 『ザ・フェデラリスト』

アメリカ合衆国憲法の成立に際し、各州の批准を要したために、その理解を得る目的で記された論文集。憲法に盛り込まれた連邦共和制の仕組みなどについて説明が展開されている。アレクサンダー・ハミルトン（一七五五～一八〇四。合衆国初代財務長官）やジェームズ・マディソン（一七五一～一八三六。第四代大統領）など、独立戦争や憲法制定において中心的な役割を果たし、「アメリカ建国の父」と呼ばれた人物たちが執筆したとされている。

＊7 キリスト教福音派

アメリカの総人口の約四分の一を占めるとされる、聖書の内容をきわめて重視する保守的キリスト教会派。中絶や同性愛などに反対の立場を取る。主に南部の地方や田舎などに地盤を持ち、大多数が共和党を支持している。二〇一六年の大統領選では共和党のトランプの強力な支持基盤となった。

＊8 一八四八年のヨーロッパ市民革命

一八四八年にヨーロッパ各地で連鎖的に起こった一連の革命運動。一月のイタリアにおける民衆蜂起に始まり、フランスの二月革命、ドイツの三月革命と続き、やがてデンマーク、オーストリア、チェコ、ハンガリー、イギリス、アイルランドなどにも波及した。その性格は大きく分ければ、保守的な絶対君主制国家に対する自由主義的立場からの民衆反乱と、諸民族の独立運動に整理できる。

＊9　第一インターナショナル
一八六四年に設立された世界最初の国際的な労働者組織。国際労働者協会（International Working Men's Association）の通称。宣言と規約を起草したのはカール・マルクス。

＊10　ルイ・ボナパルトのクーデター
ナポレオン・ボナパルトの甥にあたるルイ・ナポレオン（一八〇八～一八七三）が起こしたクーデター。彼は伯父のナポレオンの失脚以後は亡命生活を送っていたが、一八四八年の二月革命に乗じてフランスに舞い戻り、大統領選挙に出馬してその知名度から当選を果たした。やがて、一八五一年に強大な権力を掌握するためにクーデターを遂行。その後、帝政復活を掲げて国民投票を行い、大多数の支持を受けて皇帝に即位すると「ナポレオン三世」を名乗り、独裁権力を掌握した。

＊11　『新ライン新聞』
一八四八年から翌四九年にかけてプロイセン王国（現在のドイツ）で発行された日刊紙。カール・マルクスを編集長とし、エンゲルスらが編集委員を務めた。一八四八年のヨーロッパ市民革命を中

心に報道するとともに、労働者階級の解放や民主主義の実現などを訴える社説を展開していった。

＊12　**金ぴか時代**（The Gilded Age）
南北戦争を経た一九世紀の後半、アメリカにおいて西部開拓が一挙に進展するとともに、資本主義経済が急速に発展した時代を指す。『トム・ソーヤーの冒険』や『ハックルベリー・フィンの冒険』などで有名な作家マーク・トウェイン（一八三五〜一九一〇）が、同じく作家チャールズ・ウォーナーとの共著で『金ぴか時代』という風刺的小説を刊行したことに由来する表現である。同書では、好況に踊らされながら一攫千金を狙う当時の人々の浮き足立った様子が活写されている。

＊13　**一国二制度**
ひとつの国の中に、政治的・経済的制度が異なる地域が併存することが認められた状態を指す。一九九七年に英国より返還された香港では、社会主義国家である中国の内部にありながら、平和統一がされている限りにおいて高度な自治権および資本主義的制度、独自の政治制度が認められていた。

第三章　中国について考える

中国はなぜ「人民共和国」なのか

姜　この章では、アメリカと並び立つもうひとつの超大国、中国について内田さんと語り合っていきたいと思います。

日本では、「中国は一党独裁だからけしからん！」などと、一刀両断する人も少なくないのですが、そんな単純な議論ではないだろう、と言いたくなることもしばしばです。中国が今後どうなるのか、あるいは米中関係がどうなっていくのかということについては、今の大陸中国をひとつの国民国家とみなすような単純な見方をしていたのでは全体像を摑むことはできないと思うんですよね。

『街場の中国論』（ミシマ社、二〇〇七年。増補版、二〇一一年）という本も出版されている内田さんにお聞きしたいことがいろいろあるのですが、そのひとつは中国の民族問題です。アメリカが深い分断に苦しむ中、中国はコロナ禍にもかかわらず、統制を強めて状況をうまくコントロールしているように見えます。しかし、新疆ウイグルやチベット、香港、台湾などの問題といった、いつなんどき暴発するかしれないような時限爆弾を抱えているのも事実です。中国の内側にいる諸民族が分離独立を求めて武装闘争が起きる可能性なども考えれば、今後中国が少数民族の問題にどう対応していくかは非常に重要なポイントになっていくでしょう。ただ、日本では少数民族の問題という視点が、メディアも含めて、なかなか出てこないですね。

内田　中国もまた国内に深刻な分断や分裂を抱え込んでいます。たとえば、九〇〇〇万人の中国共産党の党員と、残りの非党員一三億人の間には明らかに一種の身分差があります。党員集団と非党員集団の利害関係は必ずしも一致していない。党員は中国共産党の一党支配から豊かな利益を享受していますから、体制の永続を望んでいますけれども、非党員は物質的な豊かさが保証されるなら、別にどんな政体でも構わない。

それから今、姜さんが指摘されたように、中国国内には五五の少数民族がいます。総人口一億二五〇〇万人ですから、日本の人口とほぼ同じです。彼らは人種も言語も宗教も習俗も漢民族とは違う。

中国を構成している様々な集団は必ずしも利害がすべて一致しているわけではありません。アメリカが国民的分断で苦しんでいると言いますけれど、対立はおおもとをたどると「自由か平等か」という理念的な対立にゆきつくわけですから、すっきりしていると言えばすっきりしているんです。中国の国内的分断はそれに比べたら複雑怪奇です。

姜　確かにそうですね（笑）。

僕は、自分の民族的なルーツもあって、これまで少数民族の問題に強い関心を持ってきたのですが、こうした問題を考えるときの原点になっているのは、オーストロ・マルクス主義（オーストリア＝ハンガリー二重帝国で活動したマルクス主義の一派で、国内の複雑な民族問題を背景に民族の文化的自治の理論を展開しました。彼らは、ハプスブルク帝国という「型」をなんとか崩壊させずに、内側にいるチェコ人やセルビア人などの諸民族をすべて包摂した、ひとつの社会主義的な多民族国家をつくろうと企図していました。多民族多文化がひとつの国境の中に住まうということは、必ずしもアブノーマルではなくて、むしろそれが正常と言えるかもしれません。実際、大陸国家においては、内部に異なる民族をいくつも抱えているわけで、それが大陸国家の統合を困難にしている理由のひとつではないかと思います。

僕の疑問は、そうした大陸国家である中国がなぜ「人民共和国」なのか、ということです。以前、ソ連が崩壊したときに、旧ソ連における民族問題について調べたことがあるのですが、旧ソ連の場合、建前とはいえ、緩やかな諸民族の民族自決に基づく連合体としての連邦制というかたちで、イスラームなどの民族問題に対応していました。同じ大陸国家であるアメリカもやはり「連邦制」です。しかし、中国は「人民共和国」という国家形態の下、少数民族が住む地域を「自治区」とし、「自治」は認めるけれども「自決」権は認めていません。

たとえば北朝鮮のような小国が連邦制を取ることは不可能ですから「朝鮮民主主義人民共和国」になるのはわかります。しかし、あれだけの大国である中国が、文化的にもルーツが違う少数民族が多数存在するにもかかわらず「人民共和国」というのが、どうも解せないんです。

少し調べてみたところ、中国共産党がコミンテルン[*1]の影響を受けていた初期の段階では、ソヴィエト型の連邦制を検討していたこともあったようです。また、少数民族問題は、一九三七年から始まった日中戦争を戦う上で、抗日武装のためのある種の利用カードでしたから、民族自決権を認めるポーズが取られたこともありました。

しかし、結局、民族「自決」権ではなく「自治」権になったのは、中国共産党の中に漢民族中心的な意識が強かったということなのかもしれません。

話が飛躍するかもしれませんが、一九八九年の天安門事件[*2]の前に、当時、ソ連の書記長だったゴルバチョフが訪中していましたよね。ペレストロイカ[*3]を進めていたゴルバチョフの訪中と民主化を求める中国の学生たちの動きがシンクロする形になっていたわけですが、あの後、ソ連が崩壊したことで、鄧小平をはじめとする中国共産党には「ソヴィエトの過ちは絶対に犯してはならない」という考え方が生まれたのではないかとも思います。

少数民族問題を抱える中国がなぜ連邦制ではないのかという素朴な疑問に立ち返ると、やはり日本の影響を無視することはできないでしょう。つまり、明治以来、西洋に倣った国民国家を建設した日本のナショナリズムのありようが、清という帝国から生まれ変わった近代中国に大きなインプレッションを与えたがゆえに、民族自決を国家の中に入れ込んだ旧ソ連やかつての東欧共産圏のような考え方が、中国になかなか定着しなかったのではないか、と僕は考えています。

秀吉が実現できなかった「異民族王朝」

内田　ナショナリズムの前提になっている仮説は「国境線のこちら側とあちら側では、人種も言語も信教も生活文化もすべてが違っている」というものです。もちろん、現実にはそんなことはあり得ないから、それはフィクションなんです。このフィクションが国際規格になったのは一六四八年のウェストファリア条約*4以降のことです。だから、ナショナリズムが古代からずっと存在していて、それに基づいて人々が行動していたというふうに考えることは自制しなければならない。それは自分たちの偏見を他者に過剰適用することになりますから。

中国はウェストファリア条約よりも前から存在した「ナショナリズムを知らない国」でした。それが僕たちにはぴんと来ない。でも、それを勘定に入れないと中国のあれこれのふるまいの意味がわからないと思うんです。

中国の伝統的コスモロジーである華夷秩序には、そもそも国境線という概念がありません。宇宙の中心には中華皇帝がいて、そこから「王化の光」が同心円的に広がっていて、遠ざかるにつれてしだいに光量が減って暗くなる。「化外の地」とみなされるそういうグレーゾーンには、北狄・南蛮・東夷・西戎と呼ばれる蛮族たちが棲みついている。皇帝は化外の地を実効支配してはいませんが、そこは名目上は中華皇帝の領土です。ですから、辺境の蛮族たちが中華皇帝に敬意を表して朝貢してくると皇帝は気前よく下賜品を贈り、彼らにふさわしい官位官名を与える。これが冊封制度と呼ばれるものです。

東アジア全域は久しくこの華夷秩序のコスモロジーの内側にありました。朝鮮半島も、日本列島も、インドシナ半島も、中華皇帝からすれば華夷秩序のヒエラルヒーの中に含まれていました。

紀元一世紀に北九州を支配していた部族の長は、後漢の皇帝から「漢委奴国王（かんのわのなのこくおう）」の称号を授かっていました。足利（あしかが）将軍は明（みん）から「日本国王」の称号を受けていた。だから、中華皇帝の主観からすれば、日本列島は紀元前後から一九世紀までずっと「辺境の属国」だったんです。でも、別にそこを直接支配する気はなかった。現地の統治者に丸投げして済ませていた。「一国二制度」です。つまり、台湾や香港やマカオが例外的な存在であるわけではなくて、二〇〇〇年前から中国の辺境は全部ある意味で一国二制度でやってきたんです。

だから、中華皇帝が直接支配していない辺境の自治区はあるけれども、「ここから先は中華皇帝の威光は及ばない」というデジタルな国境線は存在しない。辺境がおとなしく朝貢してきて、中華皇帝に反抗したり、軍事侵略をしたりしない限りは、高度な自治は保障されるけれども、「ここから先には中華皇帝の威光は及ばない」ということを辺境民が公言すると、軍隊を送って来て、暴力的に鎮圧する。つまり、誰かが国境線を引こうとすると消しに来るというのが中華皇帝の仕事なわけです。

だから、もし辺境民が中華皇帝からの完全自立をめざすなら、「ここからは中国じゃない」と言って国境線を引くんじゃなくて、都に攻め上って、中華皇帝を倒して、「オレが中国だ」と言って新たな王朝を立てるしかない。実際にモンゴル族の元も、女真(じょしん)族の金[*5]も、満州族の清[*6]も、そうやって完全自立を果たしたわけです。豊臣秀吉の朝鮮出兵も、明を倒して、後陽成(ごようぜい)天皇を皇帝にする新しい王朝を立てるためでした。秀吉の企てが成功していたら、「日本族」の王朝が歴代王朝のひとつにカウントされていたはずです。それは華夷秩序においては「わりとよくあること」だったわけです。

この華夷秩序のコスモロジーは、やはり中国くらい巨大な国土の国でしか発想されないものだと思います。これが日本なら、列島の端の方に中央政府とは違う独自の法律や言語や宗教を持っている民がいれば、そこまで攻め込んで、実効支配しようとするでしょう。古代日本では九州の隼人(はやと)や東北の蝦夷(えみし)はそうやって暴力的に服従させられたわけですから。でも、中国は国が広すぎた。全土を実効支配しようとしたら、兵員も官僚もとんでもない頭数が必要だし、兵站線(へいたんせん)も何千キロにも及び、全土を支配する統治コストだけで帝国の財政は破綻してしまう。だから、辺境の部族が「ここは中華皇帝の領土です」と自己申告してくれるなら、その土地のために統治コストをかける必要はないと考えた。

中国の王朝は全部漢字一字ですけれど、辺境は漢字二字で表します。匈奴[*7]、渤海[*8]、突厥[*9]などなど。台湾、朝鮮、日本も漢字二字ですけれど、これは辺境固有の国名です。

余談になりますが、「日本」は「日の本」、つまり「中華皇帝から見て東」という意味の国名です。ベトナムが昔「越南」と称したのと同じ理屈です。中国南部に「越」という国がありましたけれど、越よりもさらに南だから「越南」。日本も越南も、華夷秩序の内部に帰属していることを示す国名なんです。ですから、幕末の国粋主義者佐藤忠満は「日本」という国名は中国への従属を表すものだから、日本という国号を廃絶すべきだと主張しました。

姜　筋は通っていますが、かなり過激な主張ですね（笑）。

内田　邪馬台国も「馬」という動物の名が入っていますけれど、これも辺境を低く見る中華思想の表れです。「やまと」も古くは「倭」と表記され、中国は日本人を蔑んで「倭奴」と呼んでいました。「其の旧名を悪む。故に名を日本と改む」ということで途中で日本に改名した。それでも従属的な呼称であることに変わりはなかった。

姜　改めてそう考えてみると面白いですね。

内田　その華夷秩序の宇宙観は紀元前から日本人の心理の深層に浸み込んでいます。だから、国民的規模で何か巨大な政治的行動を取るというときには発動してくる。無意識でやっていることなのですけれど、なぜか強い情緒喚起力がある。

明治初年の「征韓論」にしても、それで説明できるんじゃないかと思うんです。どうして徳川幕府を倒したばかりで、まだ統治機構も整備されないときにいきなり征韓論を唱えだしたのか、よく意味がわからない。日本史では「士族の不満を逸(そ)らすためだった」とか「失業した士族のために経済的な手当てをする必要があった」というような合理的な説明がなされていますけれど、それだったら他にいくらでも方策があったはずです。征韓論者たちはもしかすると秀吉と同じように「日本国内の天下統一が済んだ」と思ったときに、「辺境の部族統一が済んだら、次は『中原(ちゅうげん)に鹿を逐(お)う』[*10]のがことの順序だ」と思っていたんじゃないでしょうか。何の根拠もない妄説なんですけれど（笑）、それだとつじつまが合う。

中国が香港を弾圧するのは日本の責任か？

内田　中国が華夷秩序という伝統的なコスモロジーを棄(す)てて、デジタルな国境線を自分の方から引いて、国家主権の及ぶ領域をはっきり可視化するという近代的な国家観を持つようになったのは、日本の明治のせいじゃないかと思うんです。

一八七四年に台湾出兵という事件がありました。台湾に漂着した琉球諸島民が現地人に殺害されたので、日本政府が清朝に賠償を要求したところ、「化外の民のなしたことについて中国政府には責任がない」とにべもなく断られた。そもそも琉球は久しく清の冊封国でしたから、殺された琉球民について日本政府が「日本人が殺されたので金を出せ」という言い分だって中国にとっては言いがかりに思えた。

このときに日本は台湾に征討軍を送って、最終的に清に賠償金を出させるのですけれども、この事件の歴史的意味は、琉球と台湾というそれまで帰属がはっきりしなかった辺境の土地について、日本が琉球を日本領土、台湾を中国領土というふうにデジタルな線引きをして、「国境線」という近代的な概念を清朝に承認させたということにあったと思います。「どの国に帰属するかあいまいな土地」というような領土概念は通らないという日本の言い分を中国に呑ませることによって、日本は華夷秩序コスモロジーそのものに「賞味期限切れ」を宣告した。

日清戦争でもその端緒になったのは、日本と中国の領土概念のずれです。当時の日清間の交渉については、陸奥宗光の『蹇蹇録』[*11]に書かれていますが、「そもそも日清両国が朝鮮における関係は従来ほとんど氷炭相容れざる主義に基づき居たるものあり」と陸奥が書いている通り、ここで衝突しているのは日中の「氷炭相容れざる」領土概念の違いなんです。

清は、李氏朝鮮は「高度な自治」が認められているものの一国二制度の清の属国であると考えていた。日本は李氏朝鮮を独立国とみなして、清の許諾ぬきに朝鮮と交渉して、自由に条約を結ぶことができると言い張った。最終的に日清戦争によって、日本は中国の華夷秩序的宇宙観に致命的な傷を与えました。紀元前から一九世紀末まで続いてきた華夷秩序コスモロジーは国際政治において無力であるということを満天下に暴露したのは日本なんです。

僕は習近平の領土拡大主義は、明治の日本が中国に無理やり呑み込ませた近代的な領土概念の歴史的帰結じゃないかと思うんです。習近平は香港の一国二制度を潰しました。二〇二一年には選挙制度を変更して、立候補者を審査し、「愛国者」以外は立候補できないようにしました。一九年の区議会（地方議会）選挙で民主派が圧勝したので、そのようなことが二度と起きないように民主派の立候補を制度的に不可能にした。これで香港の「高度の自治」は終わるでしょう。でも、この香港の包摂に反対して、もし日本政府が「中国は香港の一国二制度を守るべきだ」と言うのなら、「それと同じことを陸奥宗光に言えよ」と僕は思います。なにしろ、それまでは中華帝国の辺境はすべて一国二制度だったのに、それを否定して、「高度の自治が許されている領土」などあり得ない、「領土なら中央政府が実効支配すべきだ」と言い張って自国の勢力圏を拡大したんですから。中国人の近代的な国民国家意識の形成に、はからずも日本は深く関与してしまった。

姜　今、内田さんが一気呵成（いっきかせい）に言ってくれて、疑問点が氷解した感じがします。

先ほどの内田さんの言葉を借りれば、違う形ではあるけれども、豊臣秀吉がやれなかったことを明治日本が中国に対してやったわけですよね。これはやはり革命的な変化だったと思います。

日清戦争当時の日本は、依然として領事裁判権をはじめとする不平等条約を押し付けられていましたから、完全に帝国主義国家として独立してふるまえるところまでは至っていません。その点で日本の立場は二重性を持っていたと言えます。あとで触れますが、ある意味日本は福沢諭吉が言うところの「万国公法」（国際法）の極東代理店になっていたということですよね。しかも、天皇制の影響もあって、「一民族一国家」という、いわばまったく隙間がない国民＝国家というフィクションが、あの時代、大きな力を持っていたと思います。

日清戦争や日露戦争の後、東京・神田神保町あたりには中国からの留学生が非常に大勢いたわけですが、彼らが日本に学びたいと考えたのは、ただ鉄道などの文明の利器があるというだけではなかったでしょう。やはりアジアにおける万国公法の先駆けが日本だったということが、大きかったはずです。「民族主義、民権主義、民生主義」の三民主義を掲げた孫文[*12]も日本に学ぼうとしていたわけですね。

少数民族は「少数」とは限らない

姜　「なぜ中国は人民共和国なのか」という最初の疑問に戻りますが、中国が華夷秩序から近代的なウェストファリア体制にシフトしていくにあたっては、いくつものルートがあったと思います。もしかしたら、国家形態を可能な限り緩やかにし、諸民族を共生させていく方向もありえたかもしれません。しかし結局は民族自決ではなく、民族「自治」という名の下で少数民族との共存を謳いながら、新疆ウイグルやチベット、あるいは香港を強硬に弾圧する方向へと、中国は進んでいったわけですよね。
そのことに少し関連して言うと、韓国で一番差別されているのは、中国から来た朝鮮族なんです。

内田　中国ではなく、韓国で差別されているんですか。

姜　そうなんです。その次に差別されているのが残念ながら在日です。もちろん、今では随分変わりましたが。だから、朴正熙(パクチョンヒ)大統領の軍政支配の時代、在日を政治犯にするということが起こりやすかったのだと思います。

　朝鮮族の話に戻ると、数年前にソウル大学に呼ばれてゼミをやったとき、中国出身の朝鮮族の大学院生が、韓国で差別を受けているということを口にしていました。彼女の話を聞きながら、アジアにおける少数民族問題について、思わず考え込んでしまいました。中国では、「自治区」という形で言語や文化が保障されているように見えながら、中国社会ではなかなか日の目を見ることができない。かといって、自分のルーツである国に帰れば帰ったで、もっと酷い扱いを受けるわけです。

　今のところ、朝鮮族は特に中国では危険視されていないと思います。ただ、中国内の朝鮮族の人口は二〇〇万人を少し切るほどですが、それを含めて朝鮮半島以外に居住する韓国・朝鮮系の人々が同胞意識で南北朝鮮とつながり、「大韓民族主義」のようなうねりとなることを、中国は懸念しているはずです。

そういうふうに国外にいる民族と連携して「大〇〇主義」を掲げるというのは、トルコと似ていますよね。トルコは今、中央アジアの方にトルコ系の版図をつくりたいと考えているでしょう?

内田 そうみたいですね。中国の少数民族は「少数」と言っても、けっこうな人口がいます。一番多いのはチワン族[*13]で一七〇〇万人、ウイグル族も一〇〇〇万人、同じムスリムの回族[*14]も一一〇〇万人。国並みの人口を持つ少数民族がいくつもあるんです。

特に新疆ウイグルが問題になったのは、彼らがスンナ派テュルク族だからです。トルコからアゼルバイジャン、トルクメニスタン、カザフスタン、新疆ウイグルとユーラシア大陸を東西に貫いて、同一人種、同一言語、同一宗教、同一の生活文化を共有する一億三〇〇〇万人が暮らしています。

元々は遊牧民が暮らす草原地帯だったこのエリアは、今では天然資源の宝庫であることがわかっています。ですから、「一帯一路」の要衝であるカザフスタンには今世界中から投資が行われていますし、首都アスタナでは二〇一七年に万博も開かれました。

トルコから新疆ウイグルに至るこのスンナ派テュルク族ベルトを抑えた国は、これから先ユーラシア大陸で重要な地政学的地位を得ることができます。ですから、トルコとロシアと中国が、このエリアでヘゲモニーを争っている。

ふたつの「帝国」がぶつかる新疆ウイグル

内田　「一帯一路」構想は「シルクロード経済ベルト」という陸路と「二一世紀海上シルクロード」という海路のふたつの道で中国とヨーロッパを結んで、ユーラシア大陸を貫く貿易のメインロードにするという構想で、二〇一三年に習近平が明らかにしたものです。中国側の中心エリアとなっているのが新疆ウイグルです。だから、ここを抑えることが中国にとっては死活的に重要になる。中国がこの地域のコントロールを失うと、そこがトルコの勢力圏に含まれる可能性があるからです。習近平が清朝の版図を回復しようと考えているのと同じように、トルコのエルドアン大統領はオスマン帝国の版図を回復することをめざしている。僕はそうじゃないかと思っています。

オスマン帝国は多様な民族を抱え込みながら、異教徒を迫害せず包摂してきました。中華帝国もそうでしたけれど、帝国というのはその点が国民国家と違うんです。帝国はその中に複数の人種、言語、宗教を含んでいるのが当たり前なんです。辺境民や少数民族や異教徒については、ある程度の自治を認めて、分離主義を抑制してきた。帝国にとってナシ

中国による「一帯一路」構想

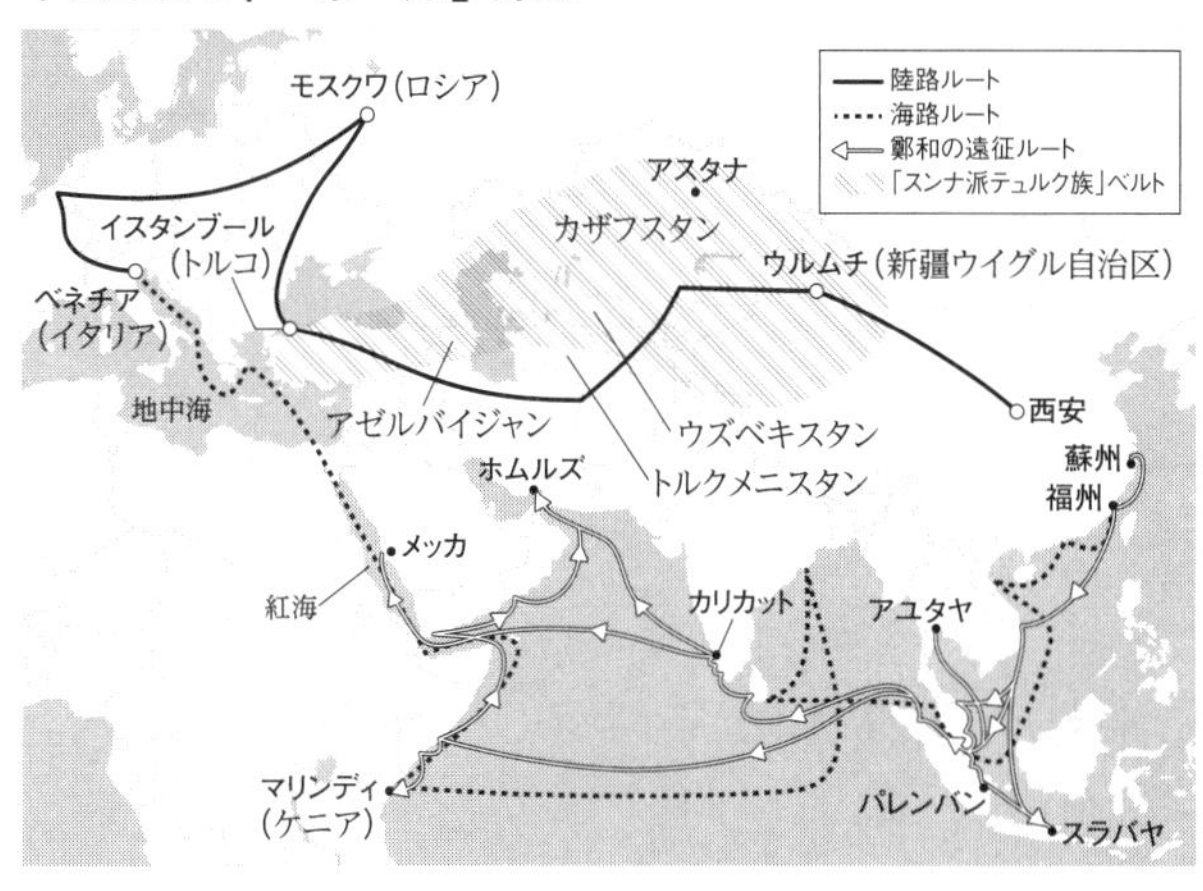

ョナリズムと分離主義は最大のリスク・ファクターなんです。

でも、オスマン帝国の包摂力が衰えてくると、バルカン半島でも中東でも民族主義が激しくなってきて、それが「火薬庫」になって発火し、第一次世界大戦が始まりました。大戦後にオスマン帝国が解体されて、ウッドロー・ウィルソン米大統領の唱える「民族自決」で国民国家に細分化されたけれど、そのせいで事態はさらに悪化しました。国民国家は「純血」を志向しますから、国内に異民族・異教徒が存在することを許さない。その結果、何百年も前からその土地に定住していた人たちが故郷を追われたり虐殺されたりして、それに対してまた報復のテロが行われ、オスマン帝国解体から一〇〇年にわたって旧帝国内では殺し合いが続いている。

姜　民族浄化政策をやったわけですね。

内田　ナショナリズムと分離主義がどれほど暴力的な帰結をもたらすか、それを旧オスマン帝国の住民たちは一〇〇年にわたって目の当たりにしてきました。だから、エルドアンが「オスマン帝国の再興」をめざすという理路は理解できるんです。それは単なる「スンナ派テュルク族」の領土拡張主義ではない。もし、そのアイディアが「異民族・異教徒が共生するためには帝国モデルしかない」という確信から出て来たものだとしたら、十分な説得力を持つんじゃないかと思います。

本来は中国も、トルコと同じように、様々な異物を包摂して成り立つ帝国だった。鄧小平の時代までは明らかに「帝国モデル」をめざしていたと思うんです。現に、鄧小平は新疆ウイグル自治区に対して、「これからイスラーム諸国との貿易が盛んになり、ここはその中継拠点になるから、国外の同族との交流を深めなさい」とクロスボーダーなスンナ派テュルク族との連携をむしろ奨励していたんですから。

でも、そうやってイスラーム同士の連携が深まると、やがて「異民族の支配を逃れて、同族だけで国家を立てたい」という分離主義の機運が高まってくる。二〇一四年に新疆ウイグル自治区のウルムチで起こったテロ事件で数十人が亡くなりましたが、このテロは習近平が新疆ウイグルを初めて視察に行った直後に起こりました。習近平はこれを分離主義者による挑発行為とみなして、容赦ないカウンターテロリズムで応じて、それが現在に至っています。

中国は完全監視社会と言われますが、新疆ウイグルが最も監視が徹底しています。全住民にQRコードが付けられて、顔認証、虹彩、指紋、声紋、DNA……と最先端のテクノロジーで全住民の一挙手一投足が監視されている。中国がこれだけ新疆ウイグルの分離主義に対してナーバスになっているのは、単にそれが国内統治上のリスク・ファクターだからというだけでなく、これを放置するとトルコから新疆ウイグルまでを結ぶ巨大な「スンナ派テュルク族ベルト」ができあがり、それが中国の構想する「一帯」と正面からぶつかることになる。それを恐れているからだと思います。

姜　今のご指摘は非常に面白いですね。そうすると、注目すべきなのはインドとの国境紛争より中国とトルコの関係の方だということになります。そういえば、安倍政権の「地球を俯瞰する外交」なるものでも、トルコにテコ入れしようとしていましたが、なんとも浅はかなものだったと思いますね。

内田　アメリカ国務省からの入れ知恵なんじゃないですか。日本の外務省にはトルコの帝国構想とどう連携するかというような大きなスケールのことを考えられる人間はいないと思いますよ。

姜　そういう面はあるかもしれませんが、トルコとアメリカとの関係は今、あまり芳しくないんです。むしろトルコは中国との関係やシリア問題もあって、武器の調達などを通じてロシアとの関係を深めようとしていますね。

「王道」と「覇道」の使い分け

内田　中国の統治モデルには伝統的に「王道」と「覇道」のふたつがあって、中国はこのふたつの原理を使い分けていると思います。「ジェノサイド」と国際社会から非難されるほど新疆ウイグルを徹底的に弾圧していますけれど、その一方で「一帯一路」の関係国やアジア、アフリカには巨大な投資をしたり、あるいはワクチンを無償提供して、各地に「親中国派」の拠点を形成しようとしています。国内の分離主義者は徹底的に弾圧するけれど、国外の親中派には気前よくリソースを提供して、「長者の風」を示す。王道と覇道の使い分けをしている。

王道は仁愛に基づく徳政です。有徳の君主が善政を行うことで国民と国際社会の威信を勝ち得る。王道は成果の回収を急ぎません。長い時間をかけて果実を回収する。「一帯一路」関連国やアフリカでも、巨額の投資をするだけでなく、現地の人たちが中国語や中国文化を学べるよう孔子学院を建てる、留学生を募る、中国で高等教育を受けられる奨学金制度を整備する……そういうことをやっています。それで中国の恩恵に浴した人たちが二〇年後、三〇年後にその国の指導層を形成するようになることをめざしている。親中国圏を長い時間をかけて広げてゆく。これは王道モデルです。イギリスやフランスがかつてアジアの植民地でやったこととほぼ同じです。

それに対して、覇道路線は短期的に成果を上げるためのものです。力ずくで押して、相手がどれほど中国を嫌っても、憎んでも、気にしない。ですから、長期的な計画では王道でゆくが、「今そこにある危機」に対しては覇道で応じるというふうに使い分けているように見えます。対アフリカ、対中央アジアには王道路線で向かい、香港、新疆ウイグル、チベット、台湾、あるいは国境紛争を抱えているベトナムやフィリピンには覇道路線で向かう。そういう使い分けをしている。

王道・覇道といっても、要するに「どちらが利があるか」という算盤ずくの選択であって、政治的信念というわけではない。ですから、王道的マナーで接している国が相手でもいきなり強硬に出るということもあるでしょうし、逆に、覇道路線で緊張関係にある国とも「和解した方が利がある」と思えば対応を変えるということはいくらでもあると思います。

姜 そうやって見ていくと、非常にわかりやすいですね。ふり返ってみれば、第一次世界大戦中の一九一五年、日本が中華民国政府につきつけた対華二十一ヶ条要求などは、孫文たちの目から見れば、まさしく帝国主義の「覇道」でした。「覇道」ではなく「王道」に戻ることを孫文は唱えたわけですが、そこには「東洋平和」のもとでの諸民族、諸国民の共存という理念があったはずです。「覇道」は西欧中心の「万国公法」の建前の裏側に見て取ることができるわけで、福沢諭吉などは早くから「百巻の万国公法は数門の大砲に若かず」（『通俗国権論』）と理解していました。しかし同時に万国公法には、これまた福沢が見抜いていたように、建前としては弱小民族や国家にも自治や独立、主権の権利が保障されているわけで、それは明らかに「王道」に通じる面ですね。

こうしてみると、「王道」と「覇道」の対比と、万国公法の規範的な理念と法の実力説の対比とはパラレルな関係にあることがわかります。ただ、中国の場合、両者の使い分けが非常にプラグマティックというか、あまり原理原則にこだわらない、権力（パワー）の実践的な法則に従っているように見えますね。

内田 パンデミックでも、中国は感染抑制に早い段階で成功しました。世界最多の感染者・死者を出したアメリカがグローバル・リーダーシップを失った場合に、中国がその「空位」を利用して、アメリカにとって代わろうとするということはあり得ると思います。中国は「ワクチンは公共財だ」と国連で宣言して、ワクチン外交を活発に行っていますし、医療資源が不足している開発途上国には気前よく支援を行っています。これは王道外交です。ワクチン開発や医療資源はいくら金がかかるといっても、ＡＩ軍拡とか空母の建設ということに比べたら、はるかに少額の予算で済む。これが大きな成果を上げれば、中国は「王道は引き合う」という成功体験を刷り込まれることになる。僕はできたら、そうなって欲しいんです。

でも、習近平は歴代の中国の指導者の中では、きわだって覇道型政治の有効性を信じている政治家のように見えます。少数民族に対しても民族教育を禁止して、学校教育における中国語化を推し進めるなど、帝国モデルを放棄して、国民国家モデルに切り替えようとしている。僕はこれはうまくゆかないと思います。一四億の国民を「同一人種・同一言語・同一文化」を前提とする国民国家モデルで統治するなんて、不可能だから。

では、どうして習近平はこの「不可能なモデル」をあえて選択しようとしているのか。僕はそれなりに切羽詰まった事情があるからではないかと思います。

“Foreign Affairs Report”（フォーリン・アフェアーズ・リポート）によると、中国は「二〇二〇年代の終わりまでにGDPでアメリカを抜く」、「二〇三五年までにAIを含むすべての技術分野でアメリカを抜く」、「二〇二七年までに軍の近代化計画を終え、台湾をめぐる軍事的紛争を含めて、想定されるすべてのシナリオで勝つ」ことをめざしているそうです。「もし、台湾をめぐる紛争で勝利すれば、習近平国家主席は権力の座を離れる前に、強制的に台湾を中国に組み込んで、再統一を実現できるかもしれない」とも書いてある。どうして、これほど覇道路線に傾いているのか。僕の見立てでは、「ゆっくりしているだけの時間的余裕がない」という要因があるのだと思います。

姜　僕もそう思いますね。

習近平の政権基盤は盤石ではない

内田　時間的余裕がないことの理由の第一は、習近平の政権基盤が実はそれほど安定していないのかもしれないということです。根拠はふたつあって、まずひとつは治安維持予算の急増です。

中国は世界で最も先端的なＡＩ技術も駆使した国民監視システムを完成させていますが、この治安維持費はもう一〇年ほど前から国防予算額を超えています。つまり、「海外からの侵略」よりも「国内における反乱」の方が蓋然性の高いリスクだと、少なくとも党中央は考えている。中国政府は自国民を潜在的な「敵」とみなしているらしい。

少数民族だけが潜在的な敵なら、辺境の少数民族だけを監視対象にしていればいいわけですけれども、実際には北京や上海などの大都市でも、徹底的な市民監視を行っています。これはつまり、今の共産党支配に対する不満が国内でかなり鬱積しているということではないかと思います。国民が共産党支配に満足していると政府が評価していれば、これほどの予算を投じて市民監視する必要はありませんから。少なくとも政府は市民の相当数が「中国共産党支配ではない政体になっても別に構わない」という不穏な気持ちを抱えていると考えている。でも、中国の外側にいる僕らのような人間には、なかなかそういう情報は入ってこないんですよね。

姜　そうですね。ただ、本章冒頭のどうして中国は連邦制の国家形態を採用しなかったのか、という話の中でも触れたように、中国では異民族への強制的な馴化（じゅんか）の意識が強く、やはり少数民族に対する監視は、普通の漢族の中国市民へのそれとは違ってかなり苛酷であるわけです。そこにはやはりディバイド・アンド・ルール（分断統治）の力学が働いていると思いますね。

内田　中国の市民がどれくらい共産党支配に不満を抱いているのか、そのあたりの国内事情は外からは見えませんけれど、習近平の政権基盤を揺るがすもうひとつのファクターは客観的事実として可視化されています。それは人口動態です。

「フォーリン・アフェアーズ・リポート」に掲載されていた中国の人口動態に関する論文を読むと、二〇二七年には中国の人口はピークアウトして一四億から一気に下がり始めて、急激な少子高齢化社会になります。

今、中国の中央年齢は三七・四歳で、アメリカと同じです。ちなみに今の日本の中央年齢は四五・九歳で「世界最高齢」ですが、二〇四〇年に中国の中央年齢は四八歳に達して、高齢化では今の日本を超えてしまう。

今の中国は国内市場の強い購買力に支えられて経済成長を続けていますが、これから生産年齢人口が急激に縮小してゆきます。特に三〇歳以下の人口は三〇パーセント減少する。

逆に六五歳以上の高齢者が爆発的に増える。二〇四〇年には三億二五〇〇万人で、一五歳未満の人口の二倍に達する。そういう非常にいびつな人口ピラミッドになるわけです。

姜　そうなれば、必然的に中国の経済成長は鈍化せざるを得なくなりますね。

内田　そうなんです。もうひとつ問題なのは、一九七九年から二〇一五年まで行ってきた「一人っ子政策」の影響です。人口置換水準（人口が増加も減少もしない均衡した状態となる合計特殊出生率）は二・一ですけれど、今の中国ではだいたい一・四から一・六。北京や上海では一を切っています。

そして、跡継ぎとなる男児なら生むが、女児なら堕胎するということが広く行われてきたせいで、この世代の男性は女性より五五〇〇万人多い。つまり、配偶者をみつけられないまま高齢になる男性がそれだけいる。彼らの多くは教育も職能も十分ではなく、自活能力に乏しいので、老後の生活を他人に頼るしかない。でも、一人っ子が二代にわたって続いた人の場合は、親が死ぬと、兄弟姉妹がいない、おじおばがいない、いとこがいないという天涯孤独の身の上になってしまう。中国では高齢者の社会保障システムが整っていません。その代わり、伝統的に親族ネットワークがメンバーの経済リスクに対処してきた。でも、一人っ子政策で、この最後のセーフティネットである親族ネットワークが消滅してしまった。これから先、中国の街角では生活に困窮する高齢者が続出してくるでしょう。彼らが反政府的な闘争を起こすことはないでしょうけれども、自分自身が高齢ホームレスになるリスクが高いということを日々意識させられていれば、中国の市民たちが国の社会福祉制度の不備に対して強い不満を持ち始めるということはあり得ます。

少子高齢化が中国の軍事力に及ぼす影響

内田　少子高齢化が中国にもたらすダメージはもうひとつあって、それは国防予算を直撃するということです。日本のメディアは「中国の国防費が前年比何パーセント上がった」ということを軍国化の指標として盛んに報道しますけれど、実際に国防費で負担が大きいのは、軍備の近代化や拡充にかける費用ではなく軍人恩給なんです。

現在、中国の国防予算に占める人件費の割合は三〇パーセントぐらいと想定されます。現役の軍人に払う給料は「国防費」に計上してよいでしょうけれど、退役軍人に支給する恩給は直接国防に資するところがない。これから高齢化にともない退役軍人はどんどん増えますが、それが国防予算を圧迫して、軍備の近代化にブレーキをかけることになる。

つまり、中国にとって少子高齢化は社会保障政策や国防政策にまで、いくつもの領域に関わるきわめてシリアスな問題だということです。そして、人口動態に短期的には打つ手がない。人口が減り始めるまであと六年。遅くとも二〇四〇年までに手を打っておかないと、先がない。

姜　もうあっという間ですね。

内田　問題を先送りにしてゆく余裕はないんです。かつて鄧小平は尖閣問題を「こういうややこしい問題は、もっと賢い未来の世代に任せよう」と先送りしました。鄧小平は華夷秩序コスモロジーを内面化した世代の人でしたから、尖閣諸島のような「辺境」については帰属が曖昧であっても、それが「普通」だと思っていた。だから、別に緊急に解決しなければならないという気がなかった。でも、習近平は世代が違います。彼は辺境の地についてもその帰属を明らかにすべきだという「近代的な国民国家モデル」に従って思考する新しいタイプの政治家なんです。

もうひとつ、鄧小平は政権基盤が堅牢（けんろう）だったので、国境問題で多少の譲歩をしても、国内の反発を抑えきれる自信があった。でも、習近平は尖閣問題を棚上げして、「後世の賢い人たちに解決してもらおう」と言える立場にはもうない。「後世」に問題解決を委ねるだけの時間的余裕がないんです。中国の国力は今から二〇年がピークで、その先のことはわからない。だとすれば、国力が最高である時期に「とれるだけのものをとる」という気になっても不思議はありません。

姜　逆に言えば、国力は大きいけれども、実は中国はもう瀬戸際まで追い詰められつつあるということになりますね。

そうすると、食料問題も中国にとっては大きな問題ではないかと僕は思うんです。とにかくあれだけの人口を食べさせていかなければいけないわけですから、やはり中国は、マルサスが言うところの人口増加と食料不足がもたらす貧困という呪縛から抜けきれないところがあるんじゃないかと思うんですね。

アメリカとの対立が続き、国内の自然災害などで食料生産がダメージを受けるという事態も起こっていますから、中国の食料自給率が今後どうなるか、指導部は不安を持っているのかもしれません。たとえば、二〇二〇年八月、習近平は「食事を残したら罰則」という指示を出していますよね。大量の食べ残しを出したレストランに罰金が課される法案も検討されているそうです。

内田　えっ、ご飯を残しちゃいけないんですか。中国って、ご馳走（ちそう）されたら残すのがマナーだって聞きましたけど。

姜　そうなんです。これは韓国も同じですが、中国の慣習では、食べきれないほどの料理を出すことが良いもてなしとされ、客の側は、わざと料理を残すのがマナーです。それで無駄になる残飯が、都市部だけでも年間一七〇〇〜一八〇〇万トンあるといいますから、確かにものすごい量なんですよね。習近平は二〇一三年頃から食べ残しをしないように求めてきたけれども、それをさらに強く打ち出したというのは、やはり一四億という人口を抱える中で食料がどんどん逼迫（ひっぱく）していくことへの危機感があるのではないかと思います。

中国は今、中国への対立姿勢を強めるオーストラリアからの農産物に対して輸入停止や関税を上乗せするなどの措置を行っていますが、オーストラリアとの関係を完全に切れないというのは、オーストラリアから輸入する食料の問題もからんでいるのかもしれません。あるいは、「一帯一路」やアフリカにインフラ整備等で莫大な投資を行い、経済進出を進めているということの裏側にも、農業国との関係を強めておきたいという意図があるのではないかと、僕は思っているんです。

内田　確かに、そういうところはあるかもしれませんね。

「いくつもの顔」をもつ中国

姜　ここまでの内田さんの非常に的確な指摘で、日本でありがちな、いわばステレオタイプ的な中国観も少し変わってくるのではないかと思います。

たとえば書店に行くと、「中国経済は破綻する！」、あるいは「中国は脅威だ！」と煽るような本が平積みされていたりするわけですけれども、今の日本の一般的なメディア、あるいは日本人が思い描くそうした中国の姿というのは、中国をひとつのかたまりとみなして単純化したものが非常に多いですよね。でも、やはり中国は非常に多面的な国であって、中国が今抱えているプラスマイナスも含めた様々な問題は、そうしたステレオタイプなものの見方では見逃してしまうことになると思います。

内田　そうですね。姜さんが今おっしゃったように、中国社会には多くの階層があるわけです。階層ごとに作用している力学や、内的ロジックが違う。それを丁寧に腑分けして取り出すことが必要だと思います。

ですから、今の中国を単一の統治原理で説明しようとするとちょっと無理があると思います。中国の人口は一四億ですけれど、一四億人というのは一九世紀末の世界人口と同じなんですよ。今の僕たちが使っている政治学の思考モデルは世界人口がそれくらいの時にできたものです。一九世紀の政治学者の中に、「世界人口と同じだけの国民がいて、人種も言語も違う五五の少数民族を擁している国」を統治するためのノウハウを知っている人がいたとは思えません。

姜　そうした便利なものがあれば良いのですが、残念ながらありません（笑）。

内田　華夷秩序のコスモロジーは中国人には深く内面化されています。地図の上には描かれていないけれども、彼らの頭の中にある幻想的な政治単位としての「中華帝国」のイメージがあって、それが政策決定に深く関与している。僕はそう考えています。でも、それは想像上の「国家」ですから、リアルポリティクスでは政治単位としてはカウントされない。

僕たち日本人にとっては、日本という国民国家が標準になります。だから、世界中どこでも、人種も言語も生活文化も同一の国民国家が基本的な政治単位であって、外交も、そういう政治単位の利害の調整で決まると考えている。でも、日本のような国ばかりで国際社会が構成されていると考えてはいけないんです。

中国は国連に加盟している近代的な国民国家のひとつであるという顔と同時に、いくつもの国民国家を包摂して、ユーラシア大陸を大きく覆う「帝国」という顔の両方を持っている。少なくとも漢民族の人たちはそういう政治的幻想を深く内面化していて、それが彼らの政治判断に関与している。

姜　まったく同感ですね。中国はある種のフラジャイルな（脆い）面を持っているし、そこを踏まえつつ、中国のしたたかさや今後の展望を見ていかなければいけないと思います。次章では、ここまでの議論を踏まえながら、アメリカと中国というふたつの超大国がそれぞれ矛盾を抱えながら今後の世界でどう動いていくのか、改めてじっくりと考えていくことにしましょう。

註

＊1　コミンテルン

（Comintern）Communist International：共産主義インターナショナルの略称で、第三インターナショナルとも呼ばれる。一九一九年、ロシア共産党のレーニンらの提唱によって創設され、各国共産党を支部とする国際組織として一九四三年まで存続した。

＊2　天安門事件

一九八九年六月四日、民主化を求めて北京市の天安門広場へと集結していた学生を中心とするデモ隊に対し、中国人民解放軍が戦車なども動員して暴力的鎮圧を行い、多くの死傷者を出した事件。

＊3　ペレストロイカ

ロシア語で「再建」「再構築」を意味する。一九八〇年代後半より共産党書記長であるゴルバチョフによって推進された政治改革運動。この民主化の動きは社会主義体制とソ連の崩壊へと繋がった。

＊4　ウェストファリア条約

一六四八年に成立した三十年戦争の講和条約。この条約は国家における「主権」（国内の領土権ならびに排他的統治権、および対外的独立権）を認め、各国家間の関係を対等なものとして規定したことで、近代的外交および現代国際法の礎を形成することとなった。そうした性格から、この条約により成立した国際秩序（ウェストファリア体制）は「主権国家体制」とも呼ばれる。

＊5　**女真族の金**
金はツングース系の**女真族**により一二世紀に中国東北部に建国された王朝。中国北部に進出し、漢民族の王朝・南宋と争ったが、一三世紀に入り勢力を増したモンゴル族の元によって滅ぼされた。

＊6　**満州族の清**
清は満州（中国東北部を中心とする地域）を支配したツングース系の**満州族**によって、一七世紀前半に建国された王朝。なお、満州族は前記の女真族と同一の存在である。一七世紀後半から一八世紀に最盛期を迎え、現在の中国・モンゴルの全土に及ぶ広大な領域を支配した。しかし、一九世紀に入ると西欧列強による帝国主義の進出を受けて衰退し、一九世紀末の日清戦争で一気に国力を喪失した。一九一一年、孫文に主導された辛亥（しんがい）革命によって崩壊する。

＊7　**匈奴**
モンゴル高原を中心に活動した遊牧民族。紀元前三世紀に入ると部族統一がなされ、強大な国家が

成立した。秦・前漢をたびたび圧迫するも、前漢の武帝の時代に猛攻撃を受けて衰退していった。

＊8　**渤海**

現在のロシア沿海州・中国東北部・朝鮮半島北部を支配した国家。七世紀末にツングース系靺鞨族の大祚栄によって建てられた国家「震」を原型とする。一〇世紀前半に滅亡した。

＊9　**突厥**

六世紀にユーラシア大陸中央部で東西にまたがる領域を支配したテュルク系の遊牧国家。「突厥」は「テュルク」を漢字に音写した呼称といわれる。六世紀後半に内戦によって分裂・衰退した。

＊10　**中原に鹿を逐う**

「中原」は中華文明の中心地である黄河流域の平原地帯を指し、「鹿」は中華皇帝の位を表す。帝位を獲得すべく争うこと。転じて、地位や目的などを得ようとして競うことを意味する諺。

＊11　**『蹇蹇録』**

一八九二年から一八九六年にかけて外務大臣を務めていた陸奥宗光が、自らの経験をもとに当時の大日本帝国の外交における舞台裏を綴った回顧録。一八九四年一月に李氏朝鮮で生じた甲午農民戦争に始まり、日清戦争と下関講和条約の締結、そしてロシア・ドイツ・フランスが日本に遼東半島返還を迫った三国干渉に至るまでの内幕を、陸奥なりの私見を交えて活写している。

＊12　**三民主義／孫文**
三民主義は、一九〇六年に孫文が発表した政治理論。①満州族の王朝である清朝の打倒と漢民族を中心にした国内諸民族の統一、ならびに帝国主義列強による植民地支配からの脱却を志向した「民族主義」、②人民主権の共和制の実現をめざす「民権主義」、そして③土地所有の不均衡是正などを通して国民生活の安定を求める「民生主義」の三原則から成る。**孫文**は一八六六年広東省生まれ、一九二五年没の革命家。「中国革命の父」と呼ばれる。辛亥革命により一九一二年に成立した中華民国では初代臨時大総統となり、後に成立した中国国民党では初代総理を務めた。

＊13　**チワン族**
中国で最大の人口を誇る、タイ系の少数民族。主に中国南部やベトナム北部に居住している。

＊14　**回族**
中国における最大のムスリム（イスラーム教徒）集団である少数民族。主に寧夏回族自治区に居住するが、それ以外にも中国全土に広く存在する。言語や容貌等は漢民族と同じで、宗教が異なる。

第四章　「新冷戦」の時代に世界はどう動くか

バイデン政権が掲げる「国際協調」の危うさ

姜　ここまで、アメリカ、中国についての話をしてきたわけですが、このふたつの超大国とこれからの国際社会の動向について内田さんはどう見ているのか、うかがっていきたいと思います。その入り口として、まずは僕の方からふたつほど論点を提起させてください。

ひとつは、バイデン新政権の下で、いわゆる地政学的な考え方が復活するのかどうか、ということです。地政学はドイツ語のゲオポリティクスの訳語で、政治的な現象とそれが生じた地理的条件との関係を研究する学問とされていますが、僕自身は、これは学問というよりかなりイデオロギー色が強いものだと、批判的に捉えているんですね。しかし、地政学的な考え方は、特にアメリカやイギリス、ドイツといった国々の政策に影響を及ぼしていた時期もあったわけですし、アメリカ一国主義だったトランプからバイデンに大統領が変わったことで、アメリカを中心に世界を睥睨する「新しい地政学」のようなものが再び出てくるかもしれない、という気がしています。

というのは、「結束」と「国際協調」という方針をバイデン政権は打ち出していますよね。これは、対内的にはワン・アメリカ（One America）で結束を呼びかけ、対外的にはある種のマルチな協力関係を深めていくということでしょうね。日本のメディアの中には、「極悪非道のトランプから、やっと善人のアメリカに戻りつつある」とバイデン政権をポジティブに評する論調もありますが、「結束」はともかく「国際協調」については、僕は懐疑的です。言葉としては心地よく聞こえるけれども、実は日本にとってかなり危うい側面を含むのではないか、という懸念が拭えません。

「国際協調」の実態は「同盟国」に役割分担をさせるということです。「同盟国」と言っても、要するにアメリカの衛星国や準・衛星国なわけですが、一九六九年に始まったニクソン政権の時代にも"Burden Sharing"（役割分担）と言われ、米軍の負担軽減と同盟諸国の自助を求める動きがあったように、「国際協調」というアイディア自体は、それほど目新しいものとは言えません。

僕が懸念しているのは、バイデン政権の「国際協調」において、日本が集団的自衛権に近いような形でのアメリカの軍事的オペレーションに巻き込まれていくことになるかもしれない、ということです。あるいは、日本が自ら進んでアメリカの戦略に巻き込まれていくということも大いに有り得ると思います。

そのとき、焦点となるのは当然、中国でしょう。日米安全保障条約第六条の極東条項は

「日本国の安全に寄与し、並びに極東における国際の平和及び安全の維持に寄与するため」アメリカ軍による日本の施設、区域の使用が認められる、としていますが、「極東における国際の平和及び安全の維持」が適用される範囲はどこまでなのか、ということが改めて問われていると言えます。

冷戦時、中曽根政権は「日本列島を不沈空母のように（当時敵対していたソ連から）強力に防衛する」などと言っていましたが、常識的に考えれば、日本が守るべき範囲は台湾海峡あたりまでで、安保条約のグローバル化は考えていないというのが建前だったわけです。

しかし今、「自由で開かれたインド太平洋」というキャッチフレーズが、ほとんどクリシエ（手垢にまみれた表現）のようにして使われているのは、内田さんもご存じの通りです。「自由で開かれたインド太平洋」は、インド洋からアジア太平洋に至る地域で、法の支配、航行の自由、自由貿易等の普及・定着によって繁栄と平和をもたらすビジョンだとされています。元々は、二〇一六年に安倍首相が提唱したものですが、トランプ大統領がこれに賛同し、後にインド、オーストラリアも加わった四ヶ国が中心となって旗振り役を務めています。各国で思惑の違いはあるようですが、念頭にあるのは、中国の「一帯一路」への対抗です。もし、二〇二一年二月から続くミャンマー国軍によるクーデター[*1]を地政学的に見るならば、米中対立、そして「自由で開かれたインド太平洋」構想という背景において、ミャンマーはインドにつながっていく非常に重要な場所と言えます。その意味で、ミャンマーの軍事クーデターは、ローカルな場所で発生した紛争が重要度を増していく手始めではないかとも思います。

さらには、二〇二一年六月に開かれたG7サミットは、韓国、オーストラリア、インド、南アフリカを加えて、デモクラシーの一〇ヶ国が集まるディーテン（D10）のような、中国の「一帯一路」に対抗する先進諸国結束の一大セレモニーになりました。共同声明には台湾海峡への言及があり、「影の主役」中国を意識したかなり厳しい対決姿勢が打ち出されています。とは言え、各国間の温度差も透けて見え、ドイツやフランス、イタリアなどのスタンスは米英や日本とはかなり違いがあるようです。また韓国もできるだけ中国を刺激しないようなスタンスを保ちたいようです。それで今後の展望ですが、アメリカはこうした多国間の同盟の盟主として、いわばゆるやかな中国封じ込めをめざしているのか、あるいは安全保障と経済は切り分けて、中国との経済協力はそれなりにやっていく一方、政治や安全保障面では国際協調に基づく役割分担を進めて、中国をきっちり抑え込んでいくのかどうか。そのあたりを内田さんはどのように捉えているのか、というのが一点です。

第二点は、核の問題です。北朝鮮の問題も含め、核保有国が完全な非核化を成し遂げることは可能なのか、我々は考えないといけないと思います。二〇二一年一月に国際NGO「ICAN（核兵器廃絶国際キャンペーン）」の働きかけによって、核兵器の開発や保有などを禁止する核兵器禁止条約が発効するなど、国際的な核軍縮のムーブメントは盛り上がりを見せました。しかし、トランプはこうした動きを歯牙にもかけず、オバマ政権が掲げた「核なき世界」から逆行するように核体制を強化する路線を進んだわけです。バイデン政権は発足早々にロシアと新戦略兵器削減条約[*2]（新START）延長を決め、なんとか首の皮一枚で核軍縮の枠組みを保ったものの、今後、世界は核軍縮へと向かうのかどうか。このことについても、内田さんの率直な意見をうかがって、議論をしていきたいと考えています。

AI軍拡が核を無効化する

内田　今、姜さんの問題提起をうかがって、僕の方で思いついたことがいくつかありますので、まず最後に挙げられた核の問題から順番に述べていくことにします。

核をめぐる現在の状況について言うと、今、核兵器の保有数が一番多いのはロシア、その次がアメリカです。この二ヶ国で世界の核兵器の九〇パーセント以上を保有していて、中国は一桁少ない。僕はこのデータを見たとき、少なくともロシアとアメリカと中国に関して言えば、ＡＩテクノロジーの進捗状況と核兵器の保有状況には負の相関があるのではないか、という気がしたんです。

姜　ああ、なるほど！

内田　かつての冷戦時代の軍拡競争においては、米ソが科学技術の先進性を競い合い、一歩でも先に行った方が勝つという競争でした。でも、今、軍事で焦点となっているのは兵器テクノロジーではありません。核ミサイルにしても、戦闘機にしても、空母にしても、原子力潜水艦にしても、現代の兵器はすべてコンピュータ・システムでコントロールされている。ですから、敵国のコンピュータ・システムをハッキングできればそれで戦争は終わりなんです。こうしたサイバー戦争では、一滴も血を流さずに敵の軍事力を完全に無効化できる。これまでの戦争のように、国土を焼け野原にしたり、何百万人もの非戦闘員を殺したりとかしなくても、無血で敵国を戦闘不能にできる。ある意味で戦争が「人道的」になるわけです。

ＡＩの技術力でアドバンテージを握った国が、これからは圧倒的な軍事的優位を保つようになる。ですから、どこの国も国防予算をＡＩテクノロジーに最優先に配分しているはずです。特に中国とアメリカがこの分野の開発競争にしのぎを削っている。アメリカからの報道では、どうやら中国が優位に立っているらしい。

ＡＩ軍拡があるレベルを超えると、米中以外の核兵器保有国は「ＡＩ後進国」というカテゴリーに繰り込まれてしまう。そこに圧倒的な非対称性が生まれる。そうした状況が数年以内に実現するのではないかという気がします。そうなると、核兵器をめぐる言説や国際的な核軍縮の取り組みの枠組みも変わっていくんじゃないでしょうか。

姜　その指摘は、非常に面白いですね。

カール・シュミット（一八八八～一九八五。二〇世紀のドイツを代表する公法学者、政治学者）が「大陸国家と海洋国家」という分類をして、ヨーロッパ大陸から海、それから空までは考えたわけですけれども、今度は宇宙や仮想空間の話になっていくということですね。

日本にとって核兵器の問題は、今、内田さんがおっしゃったような、核をめぐるサイバー空間で米中がしのぎを削るフロントライン的な部分と、もうひとつ、現実にある核保有国としての北朝鮮にどうアプローチしていくかという点で、やはり非常に大きなテーマだと思います。

内田　核兵器は「貧者の武器」とも称されるように、いまどき核兵器開発に優先的に軍事費を使っている国はイランであれ、北朝鮮であれ、テクノロジー後進国なんです。遠からず核兵器は「前近代の兵器」ということになると思います。

北朝鮮は「核兵器を持っている」というただ一点で、なんとかアメリカと対等の外交交渉に持ち込もうとしています。でも、双方の国力は桁外れに違うし、とりわけテクノロジーのレベルに致命的な差がある。にもかかわらず、そんな国でも核ミサイルさえ用意すれば、五分の外交交渉ができるようになるということについて先例を作ることをアメリカは非常に警戒していると思います。

姜　たとえ核兵器がローテク化したとしても、北朝鮮が核保有国であり続けた場合、それが悪しき前例となってしまい、いわゆる発展途上国や貧しい国でも核兵器が持てるような状況がドミノ倒しのように広がっていくというのは、アメリカにとっては望ましくないということですよね。

内田　そう思います。アメリカが北朝鮮の核の脅威をそれなりにまじめに受け止めて、平壌と交渉して、経済制裁を解除したり、人道支援をして、北朝鮮の軍事的なリスクを軽減した方が日本や韓国にとってはありがたいわけですけれども、これが先例になると、どんな貧しい国でも、核ミサイルで刺し違える覚悟があれば、アメリカと対等の交渉ができるということになる。そうすると核兵器はたいへん費用対効果の良い外交的利器であるということが「成功体験」として国際社会に共有されてしまう。国際政治は非常にコントロールしにくいものになる。

ですから、アメリカとしては核兵器が完全に時代遅れの兵器になるまで、とにかくＡＩ軍拡に全力を尽くし、それまで北朝鮮に対しては和戦いずれにしても決定的な態度をとらずにいると思います。

北朝鮮が核を持つことを認めるか

姜　アメリカが核を無効化するサイバー攻撃の開発に力を入れているという話は、韓国で「バイデン新政権は対北朝鮮の優先順位があまり高くないのではないか」と言われていることと符節が合うように思います。

今、北朝鮮問題はすっかり膠着（こうちゃく）状態に陥ってしまっていますが、その状態をいわば「塩漬け」にして何年か続けていけば、今おっしゃったような北朝鮮の核兵器の使用を無効化できるサイバーシステムが完成するかもしれません。そうなれば、少なくともアメリカにとっては、北朝鮮はもはやほとんど脅威にはならないわけですよね。

内田 そうです。バイデンがあまり北朝鮮との交渉に熱意を示していないのは、北のリスクを軽視しているというよりも、ある程度時間をかけたら、北の核を無効化できるテクノロジーが実現できるというレポートが国防総省から上がってきているからじゃないかと僕は想像しています。

トランプは在任中に北朝鮮の核問題を片づけて、それでノーベル平和賞をもらって、その勢いで二〇二〇年の大統領選に勝つというシナリオがあったので、金正恩(キムジョンウン)との対談を急いでいましたけれど、バイデンには別にそんな個人的な事情はありません。ですから、バイデンの側には金正恩と直接交渉して、急いで結論を出すインセンティブがない。姜さんがおっしゃるように、しばらくは「塩漬け」状態にしておくんじゃないでしょうか。

それに実際、完全に暗礁に乗り上げた問題に対しては、放っておくという手はけっこう使えるんですよね(笑)。ある程度の時間が経つと、何が起こるかわからないから。キープレイヤーの一人が死ぬとか、思いもかけないことが起きて、状況が一変してしまう。そういうことは歴史上よくあるんです。

今のコロナだってそうですよね。「思いもかけないこと」が起きた。

二〇二〇年の三月に米海軍の空母セオドア・ルーズベルト号でコロナ感染者が出て、同空母は作戦行動を中止してグアムに投錨（とうびょう）しました。そのことで、狭いところに人が密集する艦船、全員が斉一的な行動をとる軍隊、乗員が同じ空気を吸う潜水艦などは感染症にたいへん弱いということがわかった。ということは空母や原潜を駆使する軍事行動は感染症が収まるまではしばらく抑制せざるを得ないということです。まさか国防戦略がウイルスのせいで変更を余儀なくされるなんて、誰も考えていなかったけれど、そういうものなんですよ。思いもかけないものでゲームの局面が変わることってあるんです。だから、アメリカは今テクノロジーの進化がゲーム・チェンジャーになるのを待っているんだと思います。

姜　内田さんの指摘、面白いですね。

ただ、日本や韓国にとっては、そうしたＡＩ軍拡の進展とはまた別の問題があるわけです。確かに、米露と比べると北朝鮮が持っている核弾頭の量は微々たるもので、プルトニウムや濃縮ウランの量も、お話にならないくらい少ないとしても、日本や韓国にとっては、北朝鮮が核を持っているということ自体がやはり大きな問題なわけです。

僕の予想では、もし塩漬け状態が数年続いた場合、最終的に韓国が北朝鮮の核を容認する形で南北は合意するのではないかと見ています。

その場合、南北が国家連合の段階を踏んで統一体に近くなっていくとすれば、経済的にもかなり強力な人口約七五〇〇万人以上の核保有国が朝鮮半島に生まれることになるでしょう。その頃にはＡＩで核を無効化する技術が完成しているかもしれませんが、そうした状態が北東アジアに生まれるということは、アメリカも日本も阻止したいはずです。その観点からすると、南北接近は必ずしも望ましいとは捉えられていません。

韓国が非常に恐れているのは、北朝鮮の核開発がエスカレートしていった先に何が起こるかということです。だから、北朝鮮の完全な非核化を求めるというより、まずは北朝鮮の核軍縮を進めることが重要だ、という現実的な考え方が出てきているのですが、北朝鮮と核軍縮交渉に入っていくというのはすなわち、核を持っても構わないが量を減らしてほしいと求めることであって、結果的に北朝鮮を核保有国だと認めることになるわけです。

これは、アメリカにとっても非常に大きな課題ではないかと思います。北朝鮮を核保有国として認めるなど絶対にやってはならない禁じ手だとして、北朝鮮の核をすべて放棄させることにこだわるのか。あるいは、ラクダを針の穴に通すようなことかもしれませんけれども、とりあえず核軍縮から始めていって、上限を決めた上で北朝鮮が核を持つことを許容し、最終的には北朝鮮の非核化へと向かう方針を取る可能性があるのか。これについて、内田さんはどのように見ているんでしょうか。

内田　アメリカは「北朝鮮を核保有国として認める」という選択肢も手元には残しておくと思います。ただ、それはあくまで選択肢のうちのひとつであって、核兵器を無効化するテクノロジーを開発する、軍事的恫喝を加えて「核兵器を持っていても使えない」という状況に追い込む……など、いくつかの選択肢の中から、とりあえずその時点で現実的なカードを切ってゆくということになると思います。

ただし、いずれにせよ、北朝鮮問題の解決のためには、北朝鮮の「後見人」であるところの中国に交渉に加わってもらう必要がある。中国の国益に配慮しながら、北朝鮮を抑制するという複雑な外交交渉が要求される。

姜　確かに、それは難しいでしょうね。逆に中国にとっては、北朝鮮問題を解決しない方が対米関係において有利であるとも言えます。

米中対立は「新冷戦」なのか

姜　前章で、内田さんは、国力のピークを見据えて、中国が抱える不安要素が強硬な外交政策に転化しているという、非常に面白い指摘をされましたが、北朝鮮問題も含め、中国とアメリカとの関係は、冷戦期の米ソ対立とは違う点が多いのではないでしょうか。

内田　違うと思います。まず米中の国のかたちが違うということです。アメリカは二五〇年ほど前に、聖書の教えに従う理想国家を作るという宗教的理念に基づいて建国された一種の人工国家ですが、中国は夏（か）・殷（いん）・周から始まって中華人民共和国に至る、いくつもの民族のいくつもの王朝が興亡しながら続いてきた世界最古の国のひとつです。来歴がまるで違う。これを二個の政治単位として並列的に語ることはできません。

もうひとつは、「中国」と言っても、それは中華人民共和国という政体のことだけを指すわけではないということです。たとえば、アメリカ国内にもたくさんの中国系市民がいる。もちろん、香港市民も台湾市民も中国人です。インドネシアやベトナムやマレーシアにも中国系住民がいる。「シンガポール人」と呼ばれる人々も、実際にはほとんど中国人です。ASEANというのは複数の国民国家の連合体ですけれども、それぞれの国を見ると、指導層の中には華僑（かきょう）や華人と呼ばれる人たちが多い。ですから、東アジアではふたつの国民国家間でけっこうタフな交渉をしているときに、カウンターパートとして出て来たのが、どちらも中国人で、ふたりが中国語で話をしているということが起きる。

姜　つまり、大陸中国だけではなく、東南アジアやアメリカも含めたいろいろな国々に散在している華人ネットワーク全体が、中国人のひとつの大きな勢力圏になっている、ということですね。

内田　そう思います。中国はウェストファリア体制から出てきた国民国家とはまったく異質の国です。ソ連はレーニン主義[*3]というイデオロギーの上に構築された人工国家ですから、その意味ではアメリカとよく似ていました。でも、中国とソ連はまったく成り立ちが違います。ロシア人が世界各地に離散し、そこに土着して、ロシア人だけの国際的な相互支援ネットワークが成立していた……なんていうことはないわけですからね。一九世紀末に迫害を逃れて、ロシアからアメリカに移民したユダヤ人はたくさんいましたけれど、彼らが親ロシアのネットワークを形成するというようなこともついに起きなかった。

それからソ連との違いは、ソ連にはスターリン以後は共産党の官製イデオロギーに対して公然と反旗を翻すような国内勢力はなかったわけですけれども、中国の場合は、過剰なまでの国民監視ぶりから察するに、党の追求している国のかたちと、国民が求めているものが果たして一致しているのかどうか、よくわからない。「一帯一路」にしても、アフリカ進出にしても、「こういうアイディアだったら一四億の国民がまとまるかもしれない」

と党中央の知恵者たちが必死に頭をひねって絞りだした「シナリオ」だと思うんです。国内には一四億の国民がいて、五五の少数民族がいて、海外にも「自分は中国人だ」という強固な民族的アイデンティティーを持った人々がいる。この人たちをまとめる「物語」でないと中国は成り立たない。相当に求心力のある政治プログラムでなければ、たぶん中国という国は維持できないような気がします。

姜　だから中国は少なくとも成長路線を打ち出して、走り続けていかなければいけないということになるのでしょうね。

今のお話にあったように、現在の米中の対抗関係は、少なくとも歴史的に見れば、これまでの大国の興亡の中ではほとんどなかったものではないかと思います。ですから、アメリカが中国に対ソヴィエトの冷戦時代と同じ戦略をアナロジカルに適用しても、ほとんどうまくいかないのではないか、というのはまったく同感です。

日本の中でも、やはり米中対立を冷戦のアナロジーで語ろうとする言説が目立ちますが、それでは現実離れした議論になりやすいということですよね。にもかかわらず、そういう言説が次から次へと出てきてしまうのは、地政学的な分断や対立をあえて作り出したいという動きがあるからではないかと思います。

「深みの地政学」という視点

内田　姜さんは冒頭でも地政学について言及されましたけれども、このゲオポリティクスというものが科学的な学術として存在するかのように語ること自体が、イデオロギー的なポジショントークなんですよね（笑）。

姜　おっしゃる通りです。しかし、意外と巷ではこの地政学的見方というものが説得力を持っているんですよね。

内田　でも、どのような集団もある種の地理的な趨向性があるということに着目した人はなかなか慧眼の人だと思います。先ほども話に出てきたカール・シュミットの「大陸国家と海洋国家」という分類も典型的なゲオポリティクス言説ですが、確かに当たっているところも多々あるわけですよね。

ある国の政治が常に国益を最大化する方向に向かうとは限らないんです。そんなことをしても国益最大化にはまったく結びつかないにもかかわらず、国民全体がある地理的な趨向性に従って行動する、ということがある。やはり風土と政治はどこかで結びついていると思うんです。すべての国民は固有のコスモロジーを持っている。ある種の国民的な物語によって空間が分節されている。中国の華夷秩序コスモロジーはその典型ですが、他にもロシアの南下政策とかアメリカの「西漸（Go West）」とか、必ずしも合理的な理由がみつからない国民的スケールの傾向がある。それはそれぞれの国の歴史や文化を通じて涵養（かんよう）され、国民の心情に奥深く根を下ろした物語です。でも、こういう視点はアメリカの政治学にはごそっと抜けていますね。歴史と文化への視点が欠けている。

「深みの地政学」というのは、イスラーム法学者の中田考先生監訳の『文明の交差点の地政学――トルコ革新外交のグランドプラン』（書肆心水、二〇二〇年）という本にあった言葉です。著者のアフメト・ダウトオウルは、エルドアンの下でトルコの首相や外相を務めた政治学者ですが、国には「定数」と「変数」があるとしています。「定数」は歴史、地理、人口、文化。「変数」は経済力、技術力、軍事力。国が一貫した政治意志を持って、国のポテンシャルを最大化するためには定数と変数が一致しなければならない。ダウトオウルはそう書いています。それはオスマン帝国解体以来、トルコがヨーロッパ・アジア・アフリカに接する地政学的要地を占めながら、第一次世界大戦後、ほとんど世界史的役割を演じえなかったことへの痛切な反省に基づくものです。歴史と文化に根差した「国民の物語」にドライブされない限り、世界史的スケールの政治的行動はできない。そういう見識を備えたきわだって知的な人物がトルコの政治的指導者であったということに驚きを感じると同時に、こういう人が出て来るくらいだから、たぶんこれからトルコがこの地域のキープレイヤーになるんだろうと思いました。

「深みの地政学」という言葉を適用するなら、「一帯一路」は中国の漢民族も少数民族も世界の華人ネットワークもすべてのメンバーが共有できるなかなかに魅力的な物語なんです。だから、この「一帯一路」を案出した人は本当に賢い人だろうなと僕は思います。とりあえずこの物語を発見したことによって二一世紀の中国は自分たちが何をなすべきかについての地政学的見取り図を手に入れたし、このビジョンからあと二、三〇年は走り続けられるだけのエネルギーを得たと思います。

「自由で開かれたインド太平洋」構想に足りないもの

内田　「一帯一路」の特徴は西と南に向かっているというところです。これは中国の地政学的趨向性とぴたりと合っている。「シルクロード経済ベルト」は張騫（ちょうけん）[4]や霍去病（かくきょへい）[5]や李陵（りりょう）[6]が匈奴征伐に遠征し、玄奘三蔵（げんじょうさんぞう）が経典を求めて踏破したのと同じ道筋です。西域は行けども行けども草原と砂漠しかないところです。現代のように埋蔵自然資源が目当てで行ったわけじゃない。でも吸い寄せられるように、何十万もの軍隊を送った。遊牧民を完全に軍事的に抑え込んで、直接支配するというのは統治コスト的に無理です。それでも、繰り返し西に向かった。

もうひとつ「海上シルクロード」の道筋は、明の永楽帝の時代の鄭和（ていわ）*7の艦隊の航海ルートと重なります（一四五頁参照）。鄭和は蘇州から船出して、まっすぐ南下して、マラッカ海峡を抜けて、インド洋、紅海を経て東アフリカに至るというルートを取りました。

僕が個人的に気になるのは、この「海上シルクロード」に日本列島が入っていないことなんです。鄭和は七回も大艦隊を率いてこのルートを航海しているんですけれども、いつも蘇州から脇目もふらずに南下している。蘇州からなら数日あれば日本列島に来られるのに、艦隊は一度も日本に向かわなかった。それが腑に落ちないんですよ。

この頃の日本は室町時代です。幕府は明との勘合貿易を行っていました。将軍が明の皇帝に朝貢し、その代償として「日本国王」として冊封を受けるという伝統的なスタイルです。ですから明には日本列島を脅しつける必要はなかったわけですけれども、それでもせっかく当時世界最大の艦隊を作り上げたわけですからね、それを日本列島沖に出現させて、明帝国の威容を見せつけて、日本人の度肝を抜く……というくらいのことはやっても良かったと思うんです。でも、鄭和は東の日本列島には何の関心も示さなかった。そうやって考えてゆくと、中国は東に向かうという地政学的な傾向が見られないのです。唯一の例外は元寇ですけれども、これはモンゴル族による軍事行動でした。

七世紀に日本が唐・新羅の連合軍に大敗した白村江の戦いがありましたけれど、この敗戦の後、日本は当然このあとは唐が日本に攻めてくると考えました。当時、唐に服属していなかったのは東アジアで日本だけだったんですから、そう考えて当然です。だから、防人の制を整え、大宰府に水城を築き、都を大津に遷都して、臨戦体制で待った。でも、結局、待てど暮らせど唐は攻めて来なかった。理由はよくわかりません。他のことで忙しかったんでしょうけれど、とにかく海を東に向かって日本列島に攻め込むという地政学的行動は、漢民族にとっては特に緊急性のあるものには思われなかったということです。

いま中国は東シナ海、南シナ海に進出して、軍事基地を建設しています。「総力を挙げて東に向かい、西太平洋を版図に収める」というアイディアは中国共産党か人民解放軍のどこかから出てきたものだと思いますが、「深みの地政学」からすれば、このストーリーはあまり国民的共感を掻き立てることができないような気がします。香港の民主派弾圧とか、台湾の併合への恫喝とか、尖閣諸島の挑発とかいうのは、なんとなくテクノクラートが「頭でこしらえた」作り物感があるんです。机上の計算では合理的な選択肢に見えるんでしょうけれど、「一帯一路」のような向日性というか、風通しのよさというか、スケール感がない。なんだか、力のある者が、暴力をたのんでみんなが嫌がることをしているような感じがする。だから、国内なら思想統制が効くかもしれませんけれど、少数民族にはもちろん届かないだろうし、海外の華人ネットワークからも支持されることはないんじゃないかと思います。

同じ理由で、日本政府が外交方針として掲げる「自由で開かれたインド太平洋」も地政学的なアイディアとしてはインパクトがない。「自由で開かれたインド太平洋」なんて、そんなものを僕たちはこれまで歴史的に一度も見たことがありません。だから、何のイメージも浮かばない。似たものとしてはせいぜい「大東亜共栄圏」ぐらいしか思いつかない（笑）。これも中国封じ込めという軍事目的がまずあって、そのために頭でこしらえたフィクションだと思います。日本とハワイとオーストラリアとインドを結びつけるネットワークなんか、地政学的深みが何もない。

姜　「自由で開かれたインド太平洋」構想は、とにかくアフリカから太平洋にまたがる地域の国を全部かき集めて、無理やりまとめ上げるようなイメージに見えますね。

内田　こういうスケールの大きいアイディアが実現するためには、国民精神の深層に響くものがないとダメなんですよ。

姜　それは、「自由で開かれたインド太平洋」にはロマンを感じないということですか。

内田　そうです。まるでロマンを感じない（笑）。

姜　僕も、これは決してうまくいかないと思いますね。

実は、韓国も「自由で開かれたインド太平洋」に加わるかどうかで揉めているところなんです。韓国の保守系世論は「これに参加しないと国の存続は危ない」と盛んに主張していますが、全体的には、あまり乗り気ではないんですよね。

理由としては、もちろん中国を刺激したくないということもありますが、韓国にとってのロマンは、やはり朝鮮半島が統一されて、釜山(プサン)からモスクワまで陸路で繋がることですからね。僕自身も、学生時代はそのロマンに酔いしれたがために散々な目に遭ったわけですが（笑）。

内田　いや、それでいいと思いますよ。韓国にとっては、民衆の政治的なエネルギーを爆発的にリリースするロマンは、もう圧倒的に南北統一ですから。それでわくわくするというのは当然だと思いますよ。

オバマはなぜ期待はずれに終わったか

姜　ロマンということでは、「自由で開かれたインド太平洋」もバイデン政権の「国際協調」も、あまりわくわくするものではないですよね。トランプの場合は、アメリカの国内だけハッピーであれば良いという感じで、それが彼のわかりやすさではありました。一方、バイデンの外交政策は非常に保守的ですし、今後、ロマンを感じさせるようなグローバルなビジョンを出していくことができるのかどうか。そのあたりについては、内田さんはどう思いますか。

内田　アメリカは、これからの世界のあるべき姿についてのスケールの大きなビジョンを提示する能力はもうなくなっていると思います。オバマが大統領になった時、僕はかなり期待したんです。過去何代かの大統領の中ではきわだって賢そうだったし、〝最初の黒人大統領〟でしたし、スローガンが「チェンジ」でしたからね。これでアメリカは大きく変わると僕も思った。ノーベル平和賞も、フライングでしたけれど、世界はオバマのアメリカにそれだけ期待していた。でも、その期待に応えられなかった。

姜　ノーベル平和賞を受賞した「核なき世界」という彼の目標も、核保有国としてのアメリカの責任を明確に述べたわけでもなく、かなりムード的なものでしたしね。

内田　なぜ結果を出せなかったかというと、やはりアメリカ大統領にはできることとできないことがあったということだと思います。オバマはいくつも良いアイディアを持っていましたけれど、二期八年を費やしても、国民的合意を取り付けることができなかった。

地理的趨向性ということで言えば、アメリカもずっと「西漸」だったんですね。東海岸の植民地一三州から始まって、西へ西へと開拓をしていった。一九世紀末にフロンティアが消滅した後は、一八九八年に米西戦争でフィリピンとグアムを勢力圏に収め、同年にはハワイを併合。日本列島を空襲で徹底的に焼いたあとは朝鮮戦争で朝鮮半島を焦土にして、その次はベトナムの森を焼き払ったけれど、アメリカの「ゴーウェスト」の物語はそこで息絶えてしまった。そのあとも湾岸戦争、イラク戦争と、アメリカはなんとか「もっと西へ」というかたちで国民的エネルギーの掘り起こしを企てましたけれど、もう国民はそれに応じなかった。アメリカは「東に向かう」という地政学的趨向性がない。だから、第一次世界大戦でも、第二次世界大戦でも、ヨーロッパ大陸の出来事には不干渉を決め込んだ。大戦間期にはなぜかアメリカ人が大挙してヨーロッパに向かいましたけれど、パリで飲んだくれていたのは、アーネスト・ヘミングウェイとかスコット・フィッツジェラルドとかヘンリー・ミラーとか、アメリカ社会に居場所を見出せなくなった「はみ出し者」たちばかりです。アメリカのメインストリームが大西洋の彼方に向かうスケールの大きなビジョンを示したことって、歴史的にないんです。

姜　ということは、ロマンを感じさせるような大きなビジョンを内在的に出すエネルギーは、アメリカから枯渇してしまったということかもしれませんね。

これをもってしてアメリカが衰退していると言えるかどうか、僕にはわかりませんが、少なくとも、かつてアメリカが超大国だったときは、文化的イデオロギーも含め、多くの人がわくわくし、アメリカにシンパシーを抱けるようなイメージを発信できていたわけです。今のアメリカにはもうその面影は見出せないということなのでしょう。

中国は「世界の憧れ」になれない

姜　しかし、中国がそうした世界の人が憧れるような何かを出せるかというと、疑わしいわけです。これは極論ですが、今、K-POPや韓流ドラマ、映画があれだけ世界的にヒットしていることを考えると、もし仮に韓流文化が中国から輸出できるような仕組みができれば、東アジアの中にハリウッドに匹敵する文化的拠点ができるんじゃないかなどと、つい夢想したりするんですよね。

というのも、アメリカニズムと違って、中国には世界に輸出できるような文化的なものが乏しいように見えるんです。我々にとって中華料理はポピュラーですけれども、たとえばディズニーに匹敵するような中国のある種の大衆文化や、現代中国のライフスタイルのようなものが、かつてのアメリカニズムのような形で世界中に伝播しているとは言い難いでしょう。先ほどの一帯一路は中華系の人にとってはインスパイアされるものかもしれないけれども、それ以外の人にはあまりわくわくしない感じがします。

内田　中国の文化的発信力が乏しいことの最大の原因は批評性がないということでしょうね。言論の自由、表現の自由が担保されていないところでは、イノベーションは起きないです。若い人がもっと伸び伸びと、言いたいことが言える環境がないと文化的発信力はどこかで限界に突き当たると思います。

イノベーションが起きる時って、「なんだ、その手があったか！」という、手持ちの素材で、それまでそんな使い道があるとは思わなかったものの思いがけない利用法が見つかるわけですよね。そういうことが繰り返されていくことを通じて国力は向上してゆく。でも、中国では共産党一党独裁の政体の安定が最優先されますから、そういうタイプのブレークスルーには強い抑制がかかっている。だから、海外から新しいテクノロジーを持ってきて、それを精密化・高度化するということには卓越していますけれど、まったく新しいテクノロジーをゼロから創造して、中国が世界標準を制定するということは難しいと思います。

前にも触れましたけれど、中国は人口動態的にはこれから右肩下がりになります。逆にアメリカはこれからも人口は増え続け、生産年齢人口も減りません。それは移民が増えるからですよね。これからWASP[*8]の比率が減ってゆくのは避けられませんが、ラテン系、アジア系の移民は増え続ける。そうなるとアメリカの政治地図もだいぶ変わってくる。

たとえばこの先、中国系の人が大統領になったとしたら、米中関係は一変してしまうでしょう？（笑）でも、それは別に荒唐無稽な話ではない。ラテン系、アフリカ系、アジア系の人が上院議員になったり、大統領になる可能性はアメリカなら十分にあります。

でも、中国の場合、これからあと生産年齢人口の減少を補うために東アジアや中東やアフリカから移民を受け入れたとしても、その移民の子どもや少数民族出身者が中国共産党のトップになるということは九九パーセントあり得ない。この社会的流動性の差が僕は最終的に米中の国力の差として出て来るんじゃないかと思います。

姜　第二章でも論じたように、カウンターカルチャーがメインカルチャーにとって代わるという循環があることがアメリカの国力の源泉である一方、中国にはその循環は生まれないということですよね。その点では、アメリカの可能性はまだあると言えるのかもしれません。

在日米軍が東アジア戦略を決めている

姜　いずれにしても、米中の関係が今後どうなるかというのは未知のゾーンの話です。その中で日本はどうするのかという話になりますが、なんとなく寒々としてくるところがありますね。

以前、フランス現代思想研究者の鵜飼哲氏から、日本は「極東のイスラエル」だという話を聞いたことがあります。つまり、「アメリカが言うことはすべてＯＫ」「何があっても最後までアメリカを支持する」という国は、世界中を探してもイスラエルと日本だけだ、というんです。イスラエルの場合は、アメリカに対する強力なロビイストがいますから、その点は日本との大きな違いですけれども。

内田　そうですね。まるで違いますね（笑）。

姜　前に内田さんが「行くところまで行かないと日本の振り子は反転しないんじゃないか」と指摘していたと思いますが、そうすると、今の日本は〝出たとこ勝負〟で、バイデン政権による国際協調という名の下でのバーデンシェアリング（役割分担）に積極的に関与していくことによってしか、自分のビジョンを語り得ないという気がします。

内田　トランプにしてもバイデンにしても、日本を利用できる限りは利用するつもりでしょうけれど、そもそも日本にはもうあまり興味がないと思うんですよね。

日本だけではなくて、韓国や台湾も含めた西太平洋にどういう形で長期的な戦略を展開していくかということに関して、アメリカには特に実現したいプランはないんじゃないかと思います。もう日本列島も朝鮮半島もインドシナ半島も焼いたし、それでなんとなく「気は済んだ」ということじゃないかと思うんです。今さら三億三〇〇〇万のアメリカ国民の気持ちがひとつにまとまるような西太平洋戦略って存在しないんじゃないかな。

オバマのリバランス政策も、アメリカがアジア太平洋地域にあまり関心を持たずに来たので、中国の進出を牽制するために、多少こちらにも軸足を移すということをアピールしたんですすよね。でも、「アジア重視」ということをことさらに言わないといけないということは、放っておくとアメリカは「アジア軽視」になりがちだということですよね。実際、中東で問題が起きると、たちまちリバランス政策の形骸化を懸念する声が出て来るわけですから。ちょっと気を緩めるとアジア太平洋のことはすぐに忘れてしまう……というのがアメリカの実情だとすると、そういう地域について「アメリカ国民がわくわくするような壮大な戦略」があるとはとても思えない。

結局、日本で「これがアメリカの極東戦略だ」と言っているのは、在日米軍なんですよね。日本の場合、日米外交のフロントラインになっているのは日米合同委員会です。日本側からは外務省の北米局長をはじめ各省庁の代表が出てますけれど、アメリカ側のメンバーは、代表が在日米軍副司令官です。副代表に公使が入っているだけで、あとは全部軍人です。つまり、先方は米軍の「軍益」だけを代表している。ですから、日本政府が対米交渉において、最優先に配慮しているのが、ホワイトハウスの意向よりも先に在日米軍の意向だということになる。

先ほども言ったように、アメリカ政府は日米同盟に関してはたいしたプランがないんです。なるべく同盟国に安全保障上の負荷を多めに負担させるというだけで。ですから、「尖閣諸島で何かあったら安保条約が発動しますか」と日本から問われて、確答してくれた大統領はオバマが最初でしょう?　それまで在日米軍はその件については言質をとられないよう慎重に対応していた。正直言って、尖閣の領土問題なんかに米軍は興味がないんです。あんなちっぽけな岩礁のためにアメリカの青年が死ぬというようなことを米連邦議会が許可するはずがないということを米軍は知っているんです。

米軍が日本に駐留し続けているのは、とりわけ軍略上の必要があるからではありません。そもそも沖縄に基地が集中しているのは、対ソ戦を前提にしていたからでしょう？　ソ連が北海道に侵入してきても、米軍にはダメージがないように一番南に兵力を集中した。そんな時代とはもう戦略的環境がまったく変わったわけですから、沖縄に基地がある必然性なんかもうないんです。だから、ホワイトハウスは米軍主力をより安全なグアムに移そうとしていた。でも、在日米軍は動きたくないんですね。基地はいわば在日米軍が所有している「植民地」ですから、手離す気はない。ゴルフ場の経費まで全部日本政府にツケ回しできるわけですから。そういう米軍のローカルな利権をアメリカの国策だというふうに日本政府は意識的に混同している。

ホワイトハウスが絶対に認めないこと

内田　だいたい、日米関係をもっと親密なものにしたいとアメリカが本当に思っているなら、ホワイトハウスが主導して、沖縄の基地問題を解決する方が話が早いんです。賢い大統領だったら、沖縄の基地を撤収すれば日本人の対米感情が一気に好転することぐらいわかっているはずなんですよ。典型的リバタリアンであるロン・ポールのように「在外米軍基地は全部撤収しろ。金の無駄だ」と言っている議員だって共和党にはいるわけですからね。トランプも一時は「もっと金を出さなければ、米軍を撤収する」って言ってたじゃないですか。本当にアメリカにとって軍略上必須の基地だったら「金を出せば駐留するが、金を出さないなら出てゆく」なんて言うはずがない。

日米を本当に信頼で結ばれたパートナーにしようと思ったら、在日米軍基地は縮小ないし撤収するのが両国の利益になる。それに頑強に反対しているのは基地利権を手離したくない在日米軍と、「米軍の軍益」と「アメリカの国益」を混同させてきた日本の官僚たち、そして自力で安全保障戦略を考えるだけの知力も構想力もない日本の政治家たちだと思います。

姜　アイゼンハワー[*9]が「軍産複合体」と言った時代からアメリカにとって米軍が少しお荷物になっている面もあって、だからこそトランプはああいうことを言ったと思うんですね。

内田　米軍は沖縄に広大な基地を持っていて、自由に使える空港も港湾もある。サーフィンもできるし、ゴルフもできるし、家も広いし、飯も美味い。この既得権益を手離したくないんです。

米軍基地に政府がじゃぶじゃぶ予算を注ぎ込むのを自衛隊が喜んでいるのは、米軍がいなくなった後にその既得権益を自分たちが「居抜き」で受け取るつもりだからです。敗戦後に日本陸軍の基地も設備も米軍が全部もってゆきましたけれど、同じことを今度は逆の立場から考えている。米軍基地が広ければ広いほど、米軍が去ったあとの自衛隊基地も広くなる。だったら、今のうちにできるだけ米軍基地を広げておいて欲しいと思っているんじゃないですか。辺野古基地だって、いつできるかわからないけれど、日本政府が糸目をつけずに金をつぎ込んでいるのは、それがいずれ自衛隊基地になるからという算盤を弾いているからでしょう。

姜　かつてのローマ帝国も同様だったのでしょうが、アメリカは軍の出先機関のシビリアンコントロールを発揮できていない。だから沖縄のような状況が起きているのではないかと思います。ホワイトハウスが出先機関の軍益にメスを入れ、政治的なレベルで軍事の問題を解決できるようなルートができ上がれば状況も変わっていくかもしれませんが、それはなかなか難しいでしょうね。

内田　アメリカ政府はホワイトハウスと出先の軍機関の間に利害の不一致があるということは絶対に認めないでしょう。出先の軍がどんなことをやっても、「これはホワイトハウスの指示である」「我々は一体である」と言い張るはずです。でも、実際にはホワイトハウスと海外の駐留軍の司令官との間には、かなり意識のズレがあると思うんです。

米軍とせめぎ合う韓国の課題

内田　何よりもまず軍隊というものは軍事的緊張が高まることを求めるという本質があります。軍事的な緊張があって、戦争がいつ始まるかわからないという時に国防予算は最も気前よく分配される。だから、いつ戦争があるかわからない、いつ侵略されるかわからない、もし戦争になったら、今のような予算や設備では負けるかもしれない……と危機を煽る。それは軍隊としては当たり前のことなんです。

二〇一七年時点で米軍の統合参謀本部議長自身、米軍がこのままの装備や軍略に固執していれば遠からず中国に対する競争優位を失うと警告しています。でも、軍人のこういう自国の軍事力についての警鐘乱打は眉に唾をつけて聞いた方がいい。だって、「まあ、このままでも大丈夫じゃないですか」というような楽観的なことを言えば確実に国防予算が減らされるんですから。あらゆる国の軍隊は仮想敵国との間に「戦争にならない程度の軍事的緊張」が永続することを願う。これはしかたがないんです。良し悪しの問題じゃなくて、軍隊というのは「そういうもの」なんです。

朝鮮半島の問題もそうです。朝鮮戦争の終結が宣言されて、南北統一が実現して、朝鮮半島に平和が訪れたら、在韓米軍も在日米軍も不要になる。今は休戦中で、戦争は終わっていない。だから、横田飛行場には今でも国連軍後方司令部があります。朝鮮戦争が終わったら、この司令部は九〇日以内に日本から撤退しなければならない。だから、朝鮮戦争が終結することを在日米軍は望んでいない。

姜 今後、バイデン政権が本当の意味で軍を掌握できているのかということが、非常に重要になってくるでしょうね。

怖いのは、軍の出先機関が紛争をつくりたがるという可能性で、実際にかつての関東軍は満州事変のときにそれをやったわけです。北朝鮮との関係でも、そうした恐れが将来あり得ないわけではないですよね。実際、もし朝鮮戦争の休戦が破られれば、韓国軍に対する戦時作戦統制権は在韓米軍が行使するということになっていますから、これはなかなか重大な問題だと思います。

内田　戦時作戦統制権はまだ米軍側にあるんですか？　だいぶ前に韓国軍に返すっていう話がありましたけれど、まだ返してなかったんだ。

姜　文在寅(ムンジェイン)政権の最大の課題は、この戦時作戦統制権を韓国の手に取り戻すということなんです。

内田　韓国側にもアメリカに戦時作戦統制権を持たせたままにしておこうという人たちがいるようですね。朝鮮半島有事の際に、対応するのが韓国軍だけで、在韓米軍が動かないということになったら困るから。米軍に戦時作戦統制権を持たせておけば、38度線で軍事衝突があったら自動的に在韓米軍が戦争に参加しなければならない。米軍を一蓮托生(いちれんたくしょう)に巻き込むマヌーヴァーだという説を聞いたことがありますけど。

姜　戦時作戦統制権をめぐる米韓のやり取りは、外形的に見ると一筋縄ではいかなくて、本当にわかりにくいんです。これまでは、「南側が北側に勝手に北進するのをアメリカが制御するためには、軍事作戦権をアメリカが持っていた方が良い」という理屈で、実質は米軍である連合国が戦時作戦統制権を持つとされていました。

しかし今はその逆で、アメリカの軍益次第で北朝鮮と米軍との間に部分的な小競り合いが起きた場合、韓国がそこに巻き込まれるのではないかという不安を、韓国側は持っているわけです。戦時作戦統制権の移管は二〇二〇年代半ばに予定されていますから、おそらく数年以内には韓国側に移るのではないかと、僕は思っています。

内田　ホワイトハウスは、南北の偶発的な軍事衝突に巻き込まれるリスクを避けるためにも、戦時作戦統制権は早く韓国に渡したいと思っているんじゃないかな。でも、在韓米軍司令は、軍人である以上、自分の任地で戦争が起きたときに、使える軍事的リソースは全部自分の指揮下に置きたいはずなんです。いちいち韓国軍と相談して、韓国軍司令官の許諾を待たないと動けないなんて、そんなまどろっこしいことは在韓米軍司令官としてはやりたくない。ここでもホワイトハウスと出先の軍の間には微妙な齟齬があるように思いますね。

姜　韓国国内でも同じで、やはり現政権の民主派と野党の保守派では相当、齟齬がありますね。二〇二二年の選挙で大統領が保守派になれば、状況はまた変わっていくかもしれません。

サイバー戦争の抵抗勢力

姜　先ほど出てきたサイバー戦争についても、おそらくアメリカ内部でいろいろな考え方があるわけですよね。主導しようとしているのはホワイトハウスなのか、それとも軍内部なのか、いったいどちらなんでしょうか。

内田　アメリカ政府部内のことなんか、僕が知るはずもないので、全部想像なんですけどね（笑）。ただ、アメリカは「常備軍を持たない」という憲法を頂いているわけですから、強大な常備軍を持っている現状は厳密に言えば憲法違反なわけです。だから、説得力のある論拠が示されない限り、連邦議会は国防予算の増額には抵抗する。

それに、米軍内部にも、巨大な常備軍を持ち、そこに国家予算の多くが注ぎ込まれることをそれ自体「よくないこと」だと考えている人がいると思います。だから、AI軍拡に国防予算を優先的に注ぎ込んで、核ミサイルや空母や戦闘機や原潜といった兵器を「時代遅れ」のものにしてしまおうとする。そういう方向をめざしている「先進的」な軍人もいると思います。でも、その一方で、そんなふうに軍備が近代化したら、自分たちは失職してしまうから、昔ながらの大型固定基地、昔ながらの大艦主義、昔ながらの大軍で、国防予算を湯水のように使いたいという「守旧派」の軍人もいる。

でも、AI軍拡に優先的にリソースを割くという趨勢そのものはもう変わらないと思うんです。空母や戦闘機なんかにだらだら予算を使っていたら、中国のコンピュータ・テクノロジーに負けちゃいますから。在日米軍や在韓米軍といった在外米軍の司令官は、たぶん大型固定基地の有用性を信じている最後の「守旧派」に属しているんじゃないでしょうか。

姜　僕もそう思いますね。いずれにしても、非常に問題は重層的で、一口に軍と言っても、なかなか予想し難いところがあると思います。

この本では「アメリカ」「日本」「中国」「韓国」などと、ひとつの単体で見るのはやめようということを内田さんと話してきました。ホワイトハウスと軍の思惑の違いの話もそうですが、アメリカが一枚岩で動いているという単純な見方で政治家が動いていくのは非常に危険ではないかと思います。実際には、もう少しいろいろな矛盾を孕んだチャンネルがあるはずで、多面体としてのアメリカをもっと見ていく必要があるということは、トランプ現象によってわかったはずだと思うんですけれどもね。

最終章では、ここまでの話を踏まえて、改めて日本の問題をもう少し深掘りして締めくくることができればと思っています。

内田　深掘りするだけのモノがあればいいんですけどね（笑）。

註

＊1　ミャンマー国軍によるクーデター

二〇二一年二月一日未明、ミャンマー国軍が突如アウンサンスーチー国家顧問やウィンミン大統領ら民主政権の中心人物らの身柄を拘束し、政権掌握を一方的に宣言したクーデター。二〇二〇年一一月に同国で行われた総選挙での不正疑惑が理由とされる。この国軍の動きへの抗議として、一部の議員たちや少数民族による抵抗運動が展開され、市民らによる抗議デモも行われている。対して、国軍や警察などによる治安部隊は戒厳令を発して暴力的弾圧を行っている。

＊2　新戦略兵器削減条約（新ＳＴＡＲＴ）

二〇一一年の発効から七年後の二〇一八年までに、米露双方で核軍縮を進めることを定めた条約。一〇年間の有効期限が迫り延長の可否が議論されていたが、二〇二一年一月に米露間で電話会談が行われ、翌二月に二〇二六年二月まで五年間の延長をするとの合意に至った。

＊3　レーニン主義

ロシア十月革命を成し遂げたソヴィエト連邦の初代最高指導者、ウラジーミル・レーニンによる革命思想。マルクス主義理論を時代状況に即して発展させ、ソ連の理論的支柱となった。

＊4　張騫

生年不詳。紀元前一一四年没。前漢時代の官僚。武帝の命により、遊牧民族である大月氏（だいげっし）と同盟を結ぶために、使者として西域に赴いた。当時、大月氏は中央アジアで覇権を握っていた遊牧国家・匈奴と対立していた。前漢も匈奴に脅かされていたため、武帝は同盟関係を構築できる存在として大月氏に目をつけ、味方に引き入れようと張騫を派遣した。

＊5　霍去病

紀元前一四〇年生まれ、紀元前一一七年没。前漢の武帝に仕えた武将。西方に遠征し、中央アジアの匈奴の征伐で大きな功績を挙げた。

＊6　李陵

生年不詳。紀元前七四年没。前漢の武帝に仕える。紀元前九九年、武帝の命により匈奴討伐に向かうも敗北し降伏。匈奴の捕虜とされたが右校王（うこうおう）として取り立てられ、多くの武功を挙げた。李陵が寝返ったと考えた武帝は怒り、彼の一族を皆殺しにした。この際に武帝を諫（いさ）めようとした李陵の親友・司馬遷は宮刑に処されている。作家・中島敦（あつし）は彼を題材に歴史小説『李陵』を著した。

＊7　鄭和

一三七一年、昆陽（こんよう）（現在の雲南省昆明市）生まれ。一四三四～一四三五年没（諸説あり）。ムスリムの家庭に生まれ、明の永楽帝に仕官した宦官（かんがん）。合計七回にわたり、大艦隊による遠征の指揮を命じられる。船団は東南アジア、インド、アラビア半島はおろか、東アフリカにまで到達している。

＊8　WASP

White Anglo-Saxon Protestants（アングロ・サクソン系の白人プロテスタント）の頭文字を取った略称。アメリカ社会の主流を占めてきた人々。

＊9　アイゼンハワー／軍産複合体

アイゼンハワーは一八九〇年米テキサス州生まれ。一九六九年没。第二次世界大戦では連合国遠征軍最高司令官を務めた。戦後は第三四代大統領に就任（在任期間：一九五三～一九六一年）。一九六一年一月の大統領退任演説において、彼は**軍産複合体**（Military-Industrial Complex）という表現を用い、戦後の冷戦体制を通じてアメリカでは軍部と巨大な軍事産業が密接に結び付き、相互依存関係に陥っていると指摘し、その影響力の拡大に対して警鐘を鳴らした。

第五章　米中の狭間で、日本はどう生きるか

「縮む日本」はどうあるべきか

姜　この本では、七年八ヶ月にわたる安倍政権の総括から始まり、アメリカが抱える深い分断、超大国として覇権主義を強める中国の背景、そしてコロナ禍の時代の国際情勢について、内田さんと語り合ってきました。ここまで読んできた読者の関心は、「では、日本はどうなるのか」というところにあるでしょうから、やはり最後は日本の今後について、内田さんと意見を交換していければと考えています。

日本の現状を改めて整理すると、日本は依然として世界第三位の経済大国ではあるけれども、日本の国力が縮小し、劣化しているのは明らかです。また、「日本にはそもそも『国家戦略』と言われるものがあるのか」という率直なご指摘もありました。これはつまり、日本が「こういうことをやりたい」というひとつの理念や理想を掲げ、それに対し世界が「なるほど」と期待するということは、今の政治状況ではなかなか難しいということだと思います。

結局、日本が今後縮んでいくことが避けられないのであれば、どう縮むか、つまり「リトリート（retreat／後退、退却）」の思想が重要になるのではないかと、僕は考えています。

このリトリートは、戦後の論壇に足跡を残した歴史家・政治評論家の萩原延寿（一九二六〜二〇〇一）の論考を集めた『自由の精神』（みすず書房、二〇〇三年）の中で使われている言葉で、帝国主義的に膨張した国家がどういうふうに閉じていくか、また、閉じていく過程でどう適正な規模で秩序を構築していくのかということが論じられています。オックスフォード大学で学び、イギリスの政治や社会を深く理解していた萩原延寿は、経済大国となった日本もいずれリトリートせざるを得ない時期が来ると考え、そのモデルは、世界に冠たる大英帝国の地位から徐々に撤退し「ワン・オブ・ゼム」の国になっていったイギリスだと見ていました。彼のこの考えは、日本の今後を論じる上で大きな示唆を与えてくれると思います。

僕は、一九七〇年代の終わり頃にイギリスがリトリートしていく過程を留学先の西ドイツで体験しました。短期間ではありましたが、西ドイツからドーバー海峡を渡って滞在した当時のイギリスは経済政策が行き詰まり、事実上ＩＭＦ（国際通貨基金）の管理下に置かれて、いわゆる「英国病」に陥った重症者のようなありさまでした。そして好調な西ドイツ経済ですら、その時点では不況とインフレーションの同時進行というスタグフレーションに喘いでいました。アメリカは莫大な貿易赤字と財政赤字の「双子の赤字」に苦しみだしつつあり、そんな中、日本だけが好調だったわけです。アメリカの学者の中には、「日本は敗戦によって大東亜共栄圏をまさしく実現した」などと、皮肉っぽく論じるような風潮もありました。ハーバード大学教授の社会学者エズラ・F・ヴォーゲルが日本経済復活の理由を分析して書いた『ジャパン・アズ・ナンバーワン』（一九七九年）が世界を席巻したのもその頃で、ヨーロッパのどこへ行っても日本の話でもちきりでした。内田さんは『日本辺境論』（新潮新書、二〇〇九年）という本もお書きになっていますが、逆にその時代のヨーロッパでは、中国も韓国も、日本の周縁という捉え方をされていたのです。

八〇年代半ば頃、今でも記憶に残っているのは、ある在日フランス人が「こういうものがあるよ」と見せてくれた高級紙『ル・モンド』の四コマ漫画です。地球が日本の赤に染まっていくというオチになっていて、それぐらい「今は日本の時代だ」と思われていたわけですね。

しかし、僕自身は、高度成長期から一九八〇年代にかけての、いわば大きすぎる日本に強い不安感を抱くようなところもありました。結局、その後、バブルが崩壊し、平成の三〇年間に日本は様々な問題に逢着していくことになっていったわけですが、僕はやはり日本に一番ふさわしいのは「大きな国」というより「中規模国家」ではないかと思います。

かつて、石橋湛山(たんざん)(一八八四〜一九七三。リベラルのジャーナリストを経て第五五代内閣総理大臣)は、帝国として膨張していく「大日本主義」に対し、植民地を放棄し、自由貿易を国の基幹とする「小日本主義」を唱えましたけれども、この「小日本主義」の考え方を現代的に活かしていくことは、今後の日本にとってひとつの展望になるのではないかと、僕は考えています。

内田 おっしゃるように、これからどうやって日本が縮んでいくかということは非常に重要なテーマになると思います。「小日本主義」でも「中規模国家」でもネーミングはいろいろですけれど、要は自分たちの正味の実力に見合った規模の国の形に落とし込んでいかなければいけないということは、まったく姜さんの言われる通りだと思います。

先ほど、イギリスの例を挙げていらっしゃいましたけれども、大戦間期までは七つの海を支配していた大英帝国が、第二次世界大戦後に大西洋の一島国に縮んだ。これほど短期間で世界帝国を一気に「店じまい」した例って、世界史上ないと思うんです。確かにその結果、「英国病」と言われるようなひどい社会的な停滞が起きたけれども、逆に言えば、「その程度で済んだ」とも言えるわけです。世界帝国を一国民国家にまで縮減したんですよ。その後一〇年もしないうちに、六〇年代になるとビートルズやローリング・ストーンズのブリティッシュ・ロックや、ミニスカートのロンドン・ファッションや映画や演劇といったサブカルチャーの発信力によって、イギリスは世界を再び席巻した。これはやっぱり「たいしたものだ」と言うべきだと思うんです。

第一次世界大戦後にいくつも帝国が瓦解しましたけれど、「帝国の縮減」を計画的に実施して、もたらす被害を最小化したという例はイギリス以外にはなかったんじゃないでしょうか？　清帝国も、オスマン帝国も、ロシア帝国も、オーストリア帝国も、ドイツ帝国も、どれもハードランディングだった。だからそのあとどこでも「たいへんなこと」が起きた。その中にあって、大英帝国だけは自分たちの帝国統治システムを維持できるだけの軍事力も経済力も人的リソースももう底をついたということをクールに認識して、正味の実力で維持できるサイズの規模にまで帝国を縮減した。

「後退戦」は難しい

内田　戦争でも、勢いに乗じて勝つのはそれほど難しくないが、もう「勝ちはない」ということが見えている局面で、被害を最小限に食い止めながら、じりじりと退却する「後退戦」は難しいとよく言われますよね。

大学に勤め出した頃に、教職員全員が集められて、「一八歳人口がこれから急減するので、大学の経営が危機になる」という話を聞かされたことがありました。そんなこと知らなかったので、びっくりしました。でも、話を聞いてから「変だな」と思った。だって、一八歳人口が減るということは、一八年前からわかっていたわけじゃないですか（笑）。それなのに大学はそのための備えを何もしていなかったんです。大学がそれまでにしていたのは、入学定員を増やし、教職員数を増やし、校舎を建て増しし、財政規模を大きくして、「志願者が減ったらたいへんなことになる」仕組みを作り上げることだった。

だから、僕はわりとシンプルに考えて、「人口増を理由に定員を増やしたんですから、一八歳人口が減ってきたなら、それに合わせて定員を減らせばいい」って提案したんです。でも、ぜんぜん相手にされなかった。

姜　そんなことがあったんですね。

内田　ダウンサイジングなんてものはあり得ないのだって叱られました。人間、右肩上がりのときは気分も盛り上がって、知恵も出るし、パフォーマンスも向上するが、これから予算が減るとか、人員が減るとかいう話になったら、そのとたんにがっくりして、何もかもやる気がなくなってしまうものなんだと言われました。

確かにバブル崩壊後の日本人を見ていたら、その通りなんですよね（笑）。「縮む」ということで一番大きく反応するのは人間の心なんです。いきなり悲観的になって、頭を抱えてへたり込んでしまう。現に、九〇年代にバブルが崩壊した後も、日本はそれから二〇年近く世界第二位の経済大国であり続けた。一人当たりGDPだって世界四位とか五位とかいういいポジションを一〇年ぐらいキープしていて、今とは比較にならないくらいにリッチだったんです。でも、右肩上がりの成長カーブが少し鈍ったというだけですっかり知恵が出なくなってしまって、以後坂を転げ落ちるように国力が衰えた。今は一人当たりGDP世界三三位ですからね。

姜　本当にそうでしたね。

内田　僕は大学で「縮む」ことを提案したんだけれど、相手にされなかった。「それは敗北主義だ」って言われました。最悪の事態に備えて、被害を最小限にとどめようとする配慮のことを日本人は「敗北主義」って呼ぶんです。そして、「ウチダのような敗北主義者が敗北を呼び込むのだ」と叱られた。

日本社会では、「最悪の事態」を想定して、それに先んじてプランA、プランB、プランCを用意しておくというタイプの知性の働きにはぜんぜん敬意が払われない。要するに、どうやって被害を最小限に抑えるかということを考えることが苦手なんです。イケイケで勝ちまくっているときにはずいぶんと知恵が回る人も、旗色が悪くなって、あとは「負け幅」をいかに小さくするかが問題だということになると知恵がまったく出なくなる。

「反省」ができない日本人の国民性

内田　「最悪の事態」に備えるためには、現状の被害を正確に把握する必要があります。後退戦はまず被害調査から始まる。当然ですね。船が沈みかけているわけですから、どこに穴が開いて浸水しているのか、それを知らないと話が始まらない。でも、それを調べると、「誰の責任か」という話になる。どういう制度設計上の瑕疵があったのか、どういう運用上のミスがあったのかという話になる。日本人はそれが嫌なんですよね。「そんなことはもういいじゃないか。今は国家存亡のときなんだから、誰の責任だとかそういう野暮なことは言わずに、一致団結して国難に当たろう」という話に雪崩れ込んでしまう。

新型コロナウイルスの感染者が比較的少ない東アジアの中でも、台湾、中国、韓国と比べると、日本の感染者数、死者数は段違いに多い。だから、日本政府のコロナ対策は明らかに失敗しているわけですけれど、あれこれ統計データを挙げて、日本政府の感染症対策が失敗しているということを証明しようとすると、なぜか邪魔をしてくる人がたくさんいる。そういう人たちはたいてい「みんな必死で頑張っているんだから、誰の責任だとかそういう不人情なことを言うな」って言うんです。でも、感染拡大が始まってからもう一年以上経つわけですよね。感染抑制に成功している外国のモデルがいくつもある。だったら、日本の対策のどこがダメだったのか、どこはうまくいったのか、どこをどう修正したらよいのか、どこに優先的に医療資源を注ぎ込めばいいのかということについて科学的で冷静な議論をすることはできるし、必要だと僕は思うんです。でも、政府の感染症対策の適否についての中立的な議論が行われていない。政府は「これまでの対策で特に問題はなかった」と言うだけで、反省とか自己点検ということを一切行わない。

姜　コロナ対策については、ＰＣＲ検査の問題ひとつとっても、これまでの経過や問題点が曖昧模糊としていて、今後、どういう手を打つのかということがまったく見えてきませんね。本当に、検証ということがなぜできないのか、と思います。

内田　日本のＰＣＲ検査数が少ないのは、一貫した戦略があってのことじゃないと思います。たぶん去年の初めのうちは夏にオリンピックをやるつもりだったから、感染者数を増やしたくなかった。感染しても無症状で終わる人が多いらしいから、検査さえしなければ感染者数は低く抑えられるという計算が政府にはあったと思います。それ以外にも、保健所のヒューマンリソースが足りないとか、いろいろな理由が複合して、「なんとなくあまり熱心にやらない方がいいみたい」という「空気」が醸成されたんだと思います。別に誰かが「PCR検査をしない」という大方針を決定して、その方針を貫徹したということではなかった。ですから、「なぜ検査数が増えないんですか?」と訊かれても、責任を持って回答できる人がどこにもいない。これが典型的な日本的破局のありようだと思います。

先の敗戦でも、結局「一億総懺悔」に持ち込んでしまって、戦争責任をあやふやにしてしまった。「和」とか「絆」とか「ワンチーム」とか、そういう言葉が日本人は大好きですけれど、後退戦でそういうフレーズが使われるというのは要するに「滅びる時はみんな一緒に」ということなんです。

姜　今の内田さんの話を聞いて、丸山眞男が「軍国支配者の精神形態」(一九四九年)で、ナチス・ドイツを裁いたニュルンベルク裁判と東京裁判を比較して論じていたことを思い出しました。丸山は、統一された意思に基づいて戦争犯罪を犯したナチス・ドイツと異なり、日本の指導部の場合は、そうした統一した意思すらないまま敗戦にまで至った「無責任の体系」が特徴だったと指摘していましたね。

内田　東京裁判で検察官は二五人の戦犯たちを尋問したあとに、全員が「この戦争を惹起(じゃっき)することを欲しなかった」と証言したことに驚愕(きょうがく)しています。証言によれば、戦犯たちは満州事変に反対し、三国同盟に反対し、日華事変に反対し、対米開戦に反対しながら、侵略戦争を遂行する政権内部で指導的地位にあり続けたというのです。個人的には反対したのだが「空気」には逆らえなかった。そして、一度既成事実になった以上は、これを覆すことはできなかったと全員が異口同音に言い立てました。

自分は個人的には反対だったけれど、「空気」には逆らえなかったという言い訳は今でもあらゆる場所で聞かれます。こういうマインドセットは敗戦から七五年経っても、まったく変わっていないと思いますね。

姜　今のご指摘は非常に重要だと思います。

その意味でも、近代日本がたどった道がなぜ最終的には敗戦に至ったのか、きちんと検証を行うことがやはり非常にたいせつです。明治維新から一五〇年経ち、様々な見直しも行われるようになってきていますが、縮む、あるいは店じまいをする身の処し方ということでは、幕末期に佐幕派であった人たちに学べる点がいろいろとあるように思います。

たとえば、明治日本の外交を担った人物のひとりである陸奥宗光は、徳川御三家のひとつだった紀州藩出身ですが、彼には「勝者」であった薩長出身者とは違うものの見方ができていたのではないかという印象がありますね。

内田　明治維新では、「負けた側」に出処進退が見事な人がけっこういました。だから、負け方に人間の質の高さや器の大きさが示されるということがあった。勝海舟の使者に立って江戸城明け渡し交渉のために西郷隆盛と面談した山岡鉄舟の逸話とか、「負け方」には味わいのある話がけっこう多い。ある時期まで、負けるときのふるまいの鮮やかさが一種のロールモデルになったということはあったと思うんです。

福沢諭吉が『瘠我慢の説』で、旧幕臣でありながら明治政府に重用された勝海舟と榎本武揚のことを手厳しく批判していますけれども、福沢は彼らに「鮮やかに負けて欲しかった」って言っているわけです。福沢にしてみれば、「あなたたちはただの人じゃないんだから。痩せ我慢でも、きれいな負け方をして、これからの日本人のロールモデルになるべきだった」と言いたかった。これは福沢の卓見だと僕は思います。

姜　そういえば、敗戦後の日本がなぜ復活を遂げることができたのかということについて考察した、ジョン・ダワーの『敗北を抱きしめて』（一九九九年）という本がありましたよね。

内田　そうですね。敗北をきちんと抱きしめることが敗戦国民の市民的成熟には必要だと思います。

日露戦争から始まった「ボタンの掛け違い」

内田　先ほど、バブル崩壊で日本がダメになったという話が出ましたけれども、明治維新から後だと、日本がダメになったきっかけは日露戦争後ですね。そのときに、「小規模国家」という身の丈にあった国の形を棄てて、英米と匹敵する帝国主義国家をめざした。近代日本における「最初のボタンの掛け違い」があったとすれば、それは日露戦争後ではないかという気がするんです。

姜　僕も、そう思います。日露戦争と言えば、司馬遼太郎の『坂の上の雲』がありますけれども、あの小説は、やはり日本が国を大きくしていこうという話だったわけですよね。でも、僕が司馬作品で一番好きなのは、戊辰戦争で官軍と戦った越後長岡藩の河井継之助を主人公にした『峠』なんです。いわば「負け組」となってしまった郷土を北陸のスイスのような中立地帯にしたいと奮闘した河井継之助の姿に、今、内田さんがおっしゃった「いかに負けるか」という話が重なるように思います。晩年の司馬さんは、日本がおかしくなっているのではないかと危惧していましたけれども、『坂の上の雲』のような小説だけではなく、『峠』という作品を書いたところに、司馬さんの卓見を感じます。

内田　『坂の上の雲』では、主人公の秋山好古（よしふる）・真之（さねゆき）兄弟をはじめとする軍人たちが大国ロシアを相手にかろうじて薄氷の勝利をもぎ取った経緯が描かれていますが、実際、日本は日露戦争に勝っていたとは言えないわけです。もう少し戦争を続けていたら戦局はどうなっていたかわからない。日本にはもう戦い続けるだけの体力はなかった。

日露戦争は、極東の小国が大国ロシアと戦って勝ったというだけのシンプルな話じゃありません。日本の戦時公債のほとんどを引き受けたのはジェイコブ・シフというニューヨークのユダヤ人銀行家でした。彼が世界のユダヤ系金融機関に「日本の戦時公債を買え、ロシアの戦時公債は買うな」と呼びかけた。このユダヤ人ネットワークのおかげで軍費調達では日本はロシアに対して大きなアドバンテージを握ることができた。

シフはロシア皇帝が使嗾（しそう）したポグロム[*1]（ユダヤ人迫害）によって同胞が虐殺されたり、故地を追われたことに怒って、ロシア帝国に対して個人的な戦争を仕掛けたのです。大日本帝国戦争指導部とはまったく関係のない話です。でも、シフの怒りが日本の勝利に決定的な影響を及ぼした。日本の正味の軍事力だけで勝ったわけじゃないのです。でも、そんなことを当時の日本国民はまったく知らなかった。戦後にシフは明治天皇から勲一等旭日大綬章を受勲していますけれど、日本国民はどうしてこのアメリカ人が岩倉具視や木戸孝允や大久保利通と同じランクの勲章を受けるのか理由を知らなかったでしょう。

姜　実際には、あれ以上、日露戦争を戦い続ける余裕は日本になかったわけです。しかし、ポーツマス条約に賠償金の支払いがないことなどに憤った民衆から、小村寿太郎は「国賊」と言われ、日比谷焼き討ち事件まで起きました。他方、朝鮮半島からみれば、日露戦争は植民地化の決定的なターニングポイントになるわけで、日韓の歴史認識、その評価のすれ違いが日露戦争とその歴史的な意義の解釈のズレに起因していることは間違いありません。

『戦前日本のポピュリズム　日米戦争への道』（中公新書、二〇一八年）などの著書がある筒井清忠氏によれば、あの時初めて、日本の政治の世界に無定形のモッブ（mob：無秩序に集まった活動的群衆集団）が登場して、そのモッブによってパワーエリートが翻弄された。同時にパワーエリートはそのモッブを洗脳して、いつの間にか手が付けられなくなったわけですね。その意味であの日比谷焼き討ち事件は、日本のポピュリズムの始まりだったと思います。

内田　日露戦争は「薄氷の勝利」であって、講和条約でロシアからこれ以上の譲歩を引き出せる余力はなかった。でも、日本政府はその事実を国民には明らかにしなかった。「皇軍大勝利」というシンプルなストーリーにまとめてしまった。でもそのせいで、政府自身が身動きができなくなった。本来であれば、日本政府は日露戦争の総括をきちんと行って、群衆に対して、「君たちは『もっと賠償を取れ』『領土を取れ』などと気楽に言うが、そもそもこれはなんとか負けずに済んだという戦争で、皇軍大勝利といっためでたい話ではないのだ」ということをはっきり言って、民衆の熱狂に冷水を浴びせるべきだったんです。政治家がそういう冷静な対応をできたら、それから後の日本のアジアにおけるふるまいも違ったものになったのではないでしょうか。

姜　まったく同感ですね。ご存じの通り、漱石は、日露戦争後の一九〇八年に新聞連載された『三四郎』で、戦勝での浮かれ気分を背景に「これからは日本もだんだん発展するでしょう」と言った主人公の小川三四郎に対して、「亡（ほろ）びるね」と広田先生に言わせています。作家である漱石が警鐘を鳴らしたのに、為政者はそうした声にきちんと向き合いませんでした。そのことが結局、満州事変で暴走した関東軍に世論が好意的な反応をしていくといったことにもつながっていきます。そう考えると、日露戦争で始まった「日本型ポピュリズム」のある種のプロトタイプが、形を変えて今に至るまで続いているのではないかと思うときがあります。

失われた国家理性のリアリズム

姜　そうした無定形の世論に大きく翻弄されるのが、「国家理性」です。「国家理性」と言うと、「それはいわゆる〝統治術〟ではないか」と批判されることもありますが、「国家理性」とは、国際の権力政治を生き抜く国家の行動原理で、対外的に国家というパワーをどういう形で行使していくのか、ということです。たとえば、フリードリヒ・マイネッケ（一八六二〜一九五四）というドイツの歴史学者は、『近代史における国家理性の理念』（一九二四年）で、〝国家の必要〟が、いつの間にかいわば〝民衆の必要〟に変わっていってしまった、と結論づけています。マイネッケが言う「民衆」は、今日のポピュリズムということになるでしょう。国家理性は、単にパワーエリートだけの問題ではなく、彼らを支える国民世論や民度のレベルとも密接に関わっているのです。

かつて丸山眞男は国家理性を論じて、福沢諭吉や陸奥宗光といった明治日本を支えた人々の「冷徹な『国家理性』」の中に「個人主義と国家主義、国家主義と国際主義」との

「見事なバランス」を見ていました。この本の第三章にも出てきた陸奥の『蹇蹇録』に記されているように、その時代こそ、日本が朝鮮半島の植民地化への足がかりを作っていったとも言えますが、彼らのような人々が活躍していたときには「健全な」国家理性が生きていたと丸山は考えていました。実際、彼らの影響がまだ残っていた間は、たとえ群衆から「小村を殺せ」と言われても、為政者の側に、この講和条件こそが最善の日露戦争の「閉じ方」だという決意があったと思うんです。言ってみれば、それは現実を冷徹に見据えたリアリズムなわけですよね。

　バブル崩壊以来、そうしたリアリズムはすっかりなくなってしまいました。近代日本の国家理性が日比谷焼き討ち事件や満州事変の際の世論に翻弄されたのだとすると、僕は、現代の日本の国家理性を考える上で決定的な分水嶺となったのは拉致問題ではないか、と思っています。

　日本の善良な市民を拉致した北朝鮮のおぞましい国家犯罪に対し、国民がショックを受け、激昂したのは当然です。しかし、そこに様々なイデオローグが入り込み、結果的に日本の外交を左右したというのは、また別の問題と言えるでしょう。結局、拉致問題は今も「解決」できないまま、現在に至っています。もちろん、木で鼻を括ったような北朝鮮側に問題があることは言うまでもありません。しかし、ポピュリズム的な世論形成が「国家理性」のリアリズムを曇らせてしまったことも否定できないと思います。

SNSも含めた様々なところで交錯する世論形成が国家理性と深く関わっているという問題は、真剣に考えていくべきだと思います。やはり国家理性にはもっと「建前」や「抑制」「理念」が必要ではないでしょうか。内田さんがおっしゃったように、日本が今後、中規模国家という構想に舵を切れるかどうかは、その点がポイントとなっていくでしょうね。

内田　「国民感情」は「国家理性」と対極にあるもので、どうしても威勢のいい話に流れてしまいます。自分たちが負っている課題を受け止め、重荷を背負って一歩ずつ歩いていくといったタイプの国家目標では、国民感情は鼓吹されない。そこをどうするかが政治家の力量にかかっています。

けれども、安倍政権以降、政治家たちはそれとは反対の傾向に進んでいるように見えます。いかにして国民感情を煽って、そこから引き出された政治的エネルギーを利用するかという計算ばかり目につきます。これは安倍政権を引き継いだ菅政権も同じです。

戦中派の退場というターニングポイント

姜　内田さんもいろいろなところでおっしゃっていることですが、「本音でものを言う」ということが非常に日本の言論や問題を劣化させてきたのではないかと思います。やはり九〇年代の国力衰退とともに、それまで表面に現れてこなかったものが一挙に出てきたということなのかということについて、内田さんはどう思われますか。

内田　明治維新から日露戦争後に日本がダメになるまで四〇年、敗戦からバブル崩壊でダメになるまで四〇年。だいたい同じなんですよね。つまり、明治時代の最初の四〇年には徳川幕府とともに「負ける側」にいた人たちがいて、この人たちが独特の存在感を発揮していた。敗戦から四〇年間もそうですね。「負ける側」にいた人たちが、その間は政・官・財・学術・メディアといったあらゆる領域で存在感を示していた。そういうときは日本のシステムはわりとちゃんとしているんです。ダメになるのは「敗北を抱えた」世代が退場したあとなんです。

姜　やはり、「負け方」を知っていた戦中派が生きていた時代はまだよかったけれども、豊かな時代になってくると「負け方」を知らない世代が出てくる。韓国や中国でも同じことが起こっていて、貧しい過酷な時代をまったくよそ事のように考える若い人たちが出てきているんです。日本はそうした流れに先んじているということですね。

これはとても危ういことです。八〇年代の半ば、『無邪気で危険なエリートたち』（岩波書店、一九八四年）という本を出された有名な統計学者の竹内啓さんも、そうした危険な兆候に危惧の念を抱いていたのではないかと思いますが、若ければ良いというわけでもない、と僕は思っています。

中曽根康弘氏が総理大臣だった時は、「不沈空母」などという物騒な発言もあって、危うい人だと見ていましたが、彼も海軍主計局のエリートとしての経歴を持つ戦中派で、今から思えば真っ当な方だったと思います。韓国が中国と国交を結ぶときの橋渡しもしましたし、自衛隊海外派遣に反対した後藤田正晴（ごとうだまさはる）（一九一四〜二〇〇五）のような、タカ派の自分とは立ち位置が違う人物を官房長官に据えていたということからも、まだ国家理性をまともに働かせようというところはあったのではないでしょうか。

日本人が正気になるとき

姜　結局、統治構造のデカダンス（頽廃（たいはい））が人間的なデカダンスにまで及んでしまっているのが今の日本なのかもしれません。そうした現状を見ていると、大学教育まで含めて日本はいったい何をしてきたのか、丸山眞男以来、日本の政治学は進化したんだろうかと思って、やり切れない気持ちになってしまいます。

ただ、森喜朗（よしろう）東京オリンピックパラリンピック競技大会組織委員会会長を女性差別発言で辞任に追い込むことになったのは、やはりどこかでまともな国際世論の水準に近づかないと日本の社会はやっていけないという世論が形成されているのではないかと、ポジティブに評価したい気持ちもあります。

内田　たとえば、「ヨーロッパでは」「アメリカでは」と外国の素晴らしい点を挙げて「日本はこんなに遅れている」と言う人たちを「出羽守（でわのかみ）」と呼んだりしますよね。そういうことを言って自己卑下する習慣は、世界にはあまり例がない日本の特徴だと思うんです。

でも、「出羽守」には良いところもある。というのは、日本人が正気に戻るのは「キャッチアップする」時だからです。「世界標準に比して日本の現状はこんなに遅れている。だから、一生懸命頑張って、追いつき、追い越そう」という話になると日本人は自分たちの欠点や問題点を直視することができる。自らの後進性を進んで認めて、その補正に取り組んだのは、最初は明治維新、次は敗戦で国土が灰燼（かいじん）に帰したときです。

こういう「追いつき、追い越せマインド」のとき、日本人は、自分たちの国のシステムの欠陥をわりと客観的に見ることができる。マッカーサーに「日本人の精神年齢は一二歳」と言われても、別にあまり怒らなかった。「そうだよな」とあっさり受け入れた。「ここがダメだ」「ここが遅れている」「ここが恥ずかしい」と無慈悲に指摘できる時代は、システムの改善がどんどん進む、わりといい時代なんです。でも、その自己点検努力の結果、国力が向上してきて、「追いついた」と思ったとたんに、それまでの自己点検、自己批判の意欲が一気に減退する。

日本人は、「追いつく」ために欠点を発見し、修正するというときにはけっこう知恵が出るんです。でも、ちょっと落ち目になってきて、「負け幅を減らす」とか「被害を最小化する」というような局面になると、もうまったく知恵が出ない。システムの欠点を発見して修正することが一番必要な時期に、「日本スゴイ」というような寝言を言い出す。

姜　今の内田さんの指摘からすると、たとえばジェンダーギャップ指数が世界で一二一番目と言われると、「これは恥だ、ジェンダーギャップ指数をもっと上げなければ」ということで、「女性はわきまえろ」という発言を平気で公の場でしてしまう森喜朗氏のような人はオリンピック組織委員会会長を辞めてもらった方がよい、という話になるわけですね。

内田　あの一件は、日本の後進性が国際社会に暴露されたということでは、良いことだったと思います。森さんの暴言のおかげで、日本のジェンダーギャップ指数が先進国で最下位だということが広く知られていったわけですからね。それを知ると、「なんとかしなくちゃ」と思い始めるんです。

姜　有象無象の「ミニ森さん」的オヤジ政治家を親分とする人間関係は、特に地方社会の中には依然として根を張っています。ただ、そういうものにウンザリして、変わってもらいたいという、新しい意識も芽生えているということも間違いありません。今回、森さんを辞任に追い込んだような動きは、そういう意識に拍車をかけていくと思いますし、この一件は、ある種、前近代的な親分・子分関係が退場していくひとつの契機となるのではないでしょうか。

米中対立の中で日韓は連携できるか

姜　日本が縮んでいかざるを得ないときに、バランス感覚を持った、冷静な国家理性が必要だということを、対外関係においても考えていきたいと思います。

覇権主義を強める中国の背景に少子高齢化などの弱点があり、アメリカはアメリカでかつてのイギリスのように店じまいするには早すぎるとなると、今後の米中関係は、トゥキディデスの罠（わな）*2（覇権国と台頭する新興国の衝突が不可避な状態）に陥りやすい状況にあると言えます。そうした中で、今後、東アジアで日本がどこの国とパートナーシップを築いていけば良いのかと考えたときに、民主主義や言論の自由、社会のシステム等が共通する国というと、台湾とはおいそれと正式な関係を結べないわけですから、やはり韓国しかない、ということになるでしょう。

前回の対談『アジア辺境論』でも述べた通り、さしあたりは日韓が連携をし、同じような規模の両国が、いわば中規模国家連合のようなものを作っていくことが望ましいと言えます。しかし、日韓が本当の意味でパートナーシップを築いていくためには、歴史問題の解決が必要です。新しい世代に歴史の負の遺産を残してはいけないということが重要であり、これは時系列から考える国家理性だと思います。

第一章でも少し触れましたが、その意味で、二〇一五年の日韓従軍慰安婦合意は安倍首相が残した「実績」だと思います。安倍首相にとってはいやいやながら不本意で取り交わした合意だったかもしれませんが、それによって、日韓の最小限度の国家間関係をなんとか作り出すことができたわけですよね。この合意のように、外交的、あるいは国家的に歴史問題について納得し合うということがなければ、日韓の関係は先に進むことはできません。ただ、人道的な解決という点ではどうしても置き去りにされてしまう部分がありますから、そこは日韓がお互いに知恵を絞り、犠牲者に対するサポートをしていくことがたいせつになってくるでしょう。「これでおしまい、何か文句あるか」という居丈高な態度が、韓国の国民感情を逆撫でし、まとまるものもなかなかまとまらなくなってしまったわけですね。安倍政権としてはその固い支持基盤の保守勢力の声に抗う形で、アメリカの間接的な圧力で合意に踏み込んだ手前、そうしたジェスチャーをせざるを得なかった面もあると思います。

一方、韓国では、文在寅政権によって日韓従軍慰安婦合意はなし崩しにされたような形になっており、従軍慰安婦問題で日本を批判する動きが収まる気配はありません。従軍慰安婦問題は、韓国における「拉致問題」に近い世論状況になっており、韓国政府もそうした世論に配慮せざるを得ないのでしょう。その意味で、韓国もやはりポピュリズムで政治が動いていく面があるわけです。難しいテーマではありますが、僕は、韓国に対しては、もう少し大人になって、やはりもう一度、日韓合意を実行するという大胆な政治的決断をしてほしいと考えています。

内田　日本も韓国も、明らかに国益にかなう政策であっても、国民感情が批准してくれないものは実施できない。逆に国益を損なう政策であっても、国民感情がそれを強く望む場合は採択せざるを得ないという点では共通していると思います。

姜　日韓の歴史問題を考えるにあたっては、日本はかつて宗主国だったという立場を忘れてはいけないと思います。しかし、若い世代ほど被害者の痛みというものがわからないという問題がありますし、また、一部のメディアが日韓の溝が埋まらないように煽っている面も見られます。けれども、少し考えればわかることですが、たとえば経済面でも、日本と韓国が断絶してしまったら、互いにやっていけないということは明らかなわけですよね。

これはあまり使いたくない言葉なんですけれども、毛沢東的に言うと日韓は「敵対的矛盾」（利害関係が根本的・本質的に対立しており、話し合いや交渉などではなく力によってしか解決され得ない二勢力間での関係）ではなく「非敵対的矛盾」だと思います。ですから、日韓が冷静な国家理性に基づいて行動すれば、この非敵対的矛盾をなんとか解決していけるはずです。

日本と韓国は民主主義国家であるということだけではなく、少子高齢化や格差社会などの社会状況がかなり似通った国であるにもかかわらず、なかなか手を取り合えないというのでは、国家理性どころではありません。内田さんは、そのあたりをどうお考えでしょうか。

政治家にできて官僚にできないこと

内田　基本的には、政治は非情緒的に行うべきものだと僕は思っています。冷静に国益を最大化する方法を考え、他のプレイヤーと対話しながら、合理的な「落としどころ」を探ってゆく。そういう仕事にはできるだけ感情を交えない方がいい。国民感情という統御の難しい危なっかしいものを政治過程に不用意に持ち込むと、誰の利益にもならない破滅的な政策を国をあげて推進するというようなことが起きる。

姜さんがおっしゃる通り、国際政治のスキームで考えれば、日韓の連携が一番合理的で、利益の多い解なわけですから、日本も韓国も冷静に判断すればその方向に向いてゆく以外にないはずなんです。

従軍慰安婦や徴用工といった、日本の植民地統治の時代から戦後補償に関する問題についても、日韓両国政府が「それでは国民感情が許さない」と言っている限り、永遠に落としどころが見つからない。どこかで「国民感情は許さないかもしれないけれど、国益を配慮すれば、このあたりで手を打つしかない」という考え方に切り替えるしかない。

日韓両国政府部内にいる非情緒的で、徹底的にプラグマティックなものの考え方をする実務家たちが協議して、「まあだいたいこの辺が両国が納得できるぎりぎりの落としどころだろう」というところをみつける。その次の段階として、国民を説得するということになるのだと思います。相手は「国民感情」ですからね、変化するんです。特に隣邦に対する感情は、わずかな出来事がきっかけになって、いい方にも悪い方にも一変する。だから、まず冷静で合理的な「落としどころ」を見つけて、それから感情を鎮めてゆく。そういう順番になるだろうと思います。

先ほど、姜さんが「人道的」とおっしゃいましたけれど、「人道的に是か非か」という倫理の問題と「国家理性としてどういう判断をするのが合理的か」という問題の間にはレベルの差があるわけですよね。このレベルの差を埋めるという仕事は、誰がやるかというと、これはその国の為政者がやることなんです。自分たちが採択した外交的な決着について、「皆さんには納得がいかないかもしれないけれども、ここは国益を考えて納得してもらわないと困る」と、情理を尽くして説明するのが政治家の仕事なんです。ただ論理的であるというだけでは足りない。国民の心情に訴えるということができなければ、感情を動かすことはできない。そういうコミュニケーション能力を備えた人が政治家になるべきなんですよね。

姜　同感ですね。内田さんが今おっしゃったように、情の部分に対して、徹底してザッハリッヒ（sachlich：ドイツ語で「事実に即した」という意味）な対応ができないということでは、外の世界から見ると、国家理性において日韓は成熟した国ではないと映るでしょうね。

以前、僕が「なるほど」と思ったのは、二〇〇七年、フランスが憲法を改正して死刑を将来的にも廃止するということがありましたよね。死刑廃止については、フランスは一九八〇年代のミッテラン大統領の時代に死刑廃止法を成立させましたが、国民世論からすれば死刑復活を主張する人たちも少なからずいたわけです。しかし、当時のジャック・シラク大統領は、やはり冷静な政治的決定として死刑廃止を決めたということだったと思います。

また、ドイツのメルケル首相も、二〇一五年にシリアの内戦で一〇〇万人を超える難民がヨーロッパに押し寄せたとき、国民世論に反しても難民を受け入れるという方針を取りました。その結果、彼女の支持率は急落してしまったわけですけれども、あのときも、世論に抗してでもやるべきことはやるという、断固とした姿勢が伝わってきましたよね。

僕が知っている限りでは、金大中（キムデジュン）氏もそうしたぶれない国家理性を持っていた政治家だったと思います。金大中氏が大統領就任後に行った日本の大衆文化解禁に対して、韓国の国内世論からはたいへんな反発がありました。それでも彼は、日韓関係をより進展させるために、解禁に踏み切ったわけです。金大中氏という政治家は、朝鮮戦争後、困窮していた韓国は日本の経済支援によって助けられたという意識を持っていましたし、国際的な連携の重要性についても、彼は骨の髄まで理解していました。

今挙げた事例でもわかるように、政治家というものは世論を背景にしなければいけないけれども、それと同時に世論に抗ってでも、国益を見据えた国家理性に拠る政策を身を挺して断行するということが必要なはずです。それは、金大中氏の言葉を借りれば「歴史と勝負をする」ということだと思います。歴史の趨勢をしっかりと見据え、後々の歴史の検証に耐え得る決断を下し、それを実行するという意味ですね。これが本来の意味でのステーツマンシップだと思いますし、なかなか官僚からは出てこないものですよね。というより、これは官僚がやるべきことではないのだと思います。

これはもう日韓の宿痾なのかもしれませんが、世論の風向きだけに動かされていく日韓の政治状況を見ていると、やはり真のステーツマンシップが育っていないという印象を受けます。日韓の政治はその時々の国民感情が醸し出す空気によって煽られるようなものになっているのが非常に残念です。

文在寅の次の韓国大統領に、そういうタイプの人がならないとも限らないので、その点、一抹の不安がありますね。

内田　それは困りましたね。

姜　困るんですよ。今後の韓国の政治は、ますます世論に動かされる振り幅が激しいものになってしまう可能性もないとは言えません。

語られる言葉の質が変わっていく

姜　ここまで内田さんと様々なことを話してきましたが、そろそろ本書も結論に入っていきたいと思います。内田さんが日本の今後について考えていらっしゃることがあれば、ぜひ、読者へのメッセージとしてうかがえないでしょうか。

内田　いろいろ日本のダメなところを指摘しましたけれども、日本の今後については僕はそれほどには悲観していないんですよ。

たとえば、二〇二〇年一一月に大阪都構想が二度目の住民投票で否決されたり、あるいは「あいちトリエンナーレ２０１９」への公金支出などをめぐって出された大村秀章（ひでとし）愛知県知事リコール運動が頓挫したり、それから先ほどの森喜朗オリンピック組織委員会会長辞任だったり、二〇二〇年大統領選でトランプが負けたことも含めて、一連の動きを見ていても、なんとなく、潮目が変わってきたかなという気がするんです。

それは日本の政治文化の未成熟さが「行くところまで行った」ということだと思います。幼児的な政治文化は民衆のセンチメントの反応を引き起こしやすいので、これまでは、そういう国民感情に訴えて、理よりも情で国民を動かすというタイプの政治家が幅を利かせてきた。でも、それも極限まで行ってしまって、国民には「こういうタイプの政治家は、もういいよ」という膨満感が出てきたと思います。

たとえば、愛知県知事リコール運動では大規模な不正投票が明るみに出て、提出された署名の八三パーセントが不正だったとわかりましたが、どうやらこういう政治活動をするために必要な最低限の倫理も論理も備えていない人間がこれだけの規模の活動を仕切っていたらしい。これにはさすがに人々も驚いたんじゃないかと思います。もうちょっと「まとも」だと思っていたけれど、ほとんど中学生的なノリだけで政治活動をしていたことが暴露された。

これから先は、揮発性の高い言葉ではなく、聞くうちにじわじわと沁みてきて、長く咀嚼しないとなかなか意味がわからないような言葉を語る人たちが出てくるように思います。でも、四〇代や五〇代だと、そういう静かで重い言葉を語る人があまり見当たらない。もしかしたらもっと若い世代から、受け取る側にある程度の集中力と忍耐を要求するような言葉を語る人たちが出て来るのではないかという感じがしますね。

姜　そう思います。新しい芽が出てきていることは間違いありませんし、これは韓国も同じです。

もうひとつ、これはいずれ社会経済的な分析が必要だと思いますが、これまでのいわば国民感情を煽るような、たとえば「反日」をキーワードにするようなムーブメントについては、イデオローグたちを経済的に支えていたのは、非製造業部門の新興オーナー企業が中心だったと言えるでしょう。ところが、この業種は、今、コロナ禍で苦境に立たされているわけですね。

それに対して、海外との取引が重要な要素になっている製造業がコロナ禍でも生き残っていることを考えると、中国や韓国と縁を切るということは死活問題になるわけですから、まともな企業であれば、対外的にあまり極端な方には走らないのではないかと思われます。その点からも、潮目が変わる時期に来ているのではないかという内田さんの見通しは正しいと、僕は思いますね。

石橋湛山が言う通り、日本はやはり自由貿易を通じて諸外国を支え、支えられていくという形で潤っていく国だと思います。ですから、たとえ六割が内需で、韓国はもちろん、ドイツと比べても外需の依存度が相対的に低いとはいえ、やはり日本経済に対する外需の波及効果は大きいのです。その意味で、否応なしに海外のサプライチェーンとつながっている製造業の堅調な推移は決定的に重要で、そこに信頼を置きたいと僕は考えているんです。

内田さんと同じく、日本の今後について、僕もあまり悲観的ではありません。ポストコロナ時代がいつになるかはわかりませんが、コロナ禍を通じて、日本がやっと中規模国家構想に向けて動き出す始まりとなるのではないかと思います。そして、そこにこそ日本の新しい出発点があるはずです。

註

＊1　ポグロム

ロシア語で「全的破壊、暴力的殲滅（せんめつ）」を意味する。一九世紀後半から二〇世紀前半にかけて、ロマノフ朝で断続的に起こったユダヤ人に対する組織的迫害を特に指す。一八八一年に発生した皇帝アレクサンドル二世爆殺事件の主犯がユダヤ人だとされ、激化の契機となった。

＊2　トゥキディデスの罠

ペロポネソス戦争を記録して『戦史』を著した古代ギリシャの歴史家トゥキディデス（紀元前四六〇年頃？～紀元前四〇〇年頃）にちなんだ表現。既存の覇権国と台頭する新興国がともに国内の世論を抑えきれず、自らを疲弊させる戦争へと突入することが不可避になる状況を指す。なお、ペロポネソス戦争（紀元前四三一～紀元前四〇四年）とは、当時ギリシャ世界の中で覇権を握っていた軍事都市国家・スパルタを中心とするペロポネソス同盟と、急速な発展を遂げつつあった新興の都市国家・アテナイを盟主とするデロス同盟との間で発生した長期戦争。

あとがき

内田　樹

最後までお読みくださって、ありがとうございます。

姜尚中さんとの集英社新書での対談シリーズはこれで三冊目となります。姜さんとお話をするのは、僕にとってはとても楽しく、また学ぶことの多い貴重な経験です。

他の方との対談でもほぼすべてそうなんですけれど、僕の場合、対談のお相手になる方は、論じている事案についての専門家で、僕はその件については素人です。

そういう人がどれくらいいるのか知りませんけれど、僕は専門家の話を聞くのが大好きなんです。前に、結婚披露宴のテーブルでたまたま隣り合わせた方の業界の話を熱心に聴いていたら、先方がふと我に返って「こんな話、面白いですか？」と不審そうな顔をされたことがありました（その時僕が聞き入っていたのは貴金属業界の景況についての話でした）。いや、面白いんです。きちんとした専門的知識の裏づけのある専門的な話は、ほんとうに面白い。

姜さんとの対談もそうです。かちっとした枠組みは「玄人」の姜さんに作って頂いて、僕は「素人」として、その枠組みの中でくるくる走り回って、勝手な思いつきを話す。そういう役割分担が僕にとっては一番気が楽なんです。姜さんは正統派の政治学者ですから、論拠の乏しい思弁をすることについてはつよい自制が働く。僕はもとが文学研究者ですから、政治については、史料や文献を体系的に読み込んだこともないし、分析や解釈の学術的な手順を学んだこともない。僕が政治について語る言葉はどれも「床屋政談」の域を出ません。でも、「床屋政談」には固有のアドバンテージがあります。それは学術的なエビデンスがないことでも、直感的に脳裏に浮かんだ思いつきをすぐに口にできるということです。どんな荒唐無稽な話を口走っても、僕の場合はそれでペナルティーを受けるということがない。「それでも政治の専門家なのか」という批判を僕に向ける人はいないからです（専門家じゃないから）。

何よりもありがたいのは、僕がこの領域では素人だということは読者のみなさんはつとにご存じですから、「政治についてのウチダの話は眉に唾をつけて聴かねばならない」というルールが周知されていることです。

政治に関する領域では、僕の発言の真実含有量は三五パーセントくらいです。残り五〇パーセントは「思いつき」で、「思い違い」が一五パーセントくらいです。

これ、別にいい加減な数字を言っているわけではありません。集英社の校閲はかなり厳密なんですけれど、初校ゲラが上がって来て校閲を見ると、僕が自信たっぷりに「……である」と断言している命題の一五パーセンテージくらいについては「違います」という朱が入っています（ご安心ください。みなさんがお手にとっているこの本では原稿段階での「思い違い」は修正済みですから）。

でも「思いつき」はそのまま残っています。というのは、「思いつき」には校閲者の朱が入らないからです。朱が入らないというよりも、朱の入れようがない。「思いつき」は真偽の判定になじまないからです。

前に村上春樹さんが小説の中で「すぐにラジエーターが壊れるワーゲン」と書いたら、「その時代のフォルクスワーゲンは空冷式でラジエーターはありません」という指摘が車に詳しい読者からなされたことがありました。でも、村上さんは少しも慌てず「これは水冷式のフォルクスワーゲンが存在する世界のお話です」と答えていました。僕もこの態度を見習いたいと思います。

僕が国際政治について書いていることの半分（以上）はふっと脳裏に浮かんだ「お話」です。「お話」ですから、エビデンスもないし、史料もないし、証言もないし、統計データもない。「お話」というのは、あえて言えば、かたちあるものではなく、むしろかたちをあらしめるものです。歴史の表層に顕在化したかたちある出来事のことではなく、それらの出来事に伏流するかたちのないもののことです。

「お話」の効用は、その枠組みの中に置いてみると、それまで相互に関連づけられなかった断片的な出来事が結びつけられるという点にあります。僕は「それまで相互に無関係だと思われていたことを関連づける」ということが大好きなんです。この「関連づけるための枠組み」のことを僕は「お話」と呼んでいるわけです。「アイディア」と呼んでもいい。

柴田元幸さんのエッセイで、柴田さんがアメリカの作家とおしゃべりしていたときに、その作家が「アメリカというのはひとつのアイディアなんだよ」とぽつりとつぶやいたのを聴いて深く得心したという一節を読んだことがあります。このフレーズは僕にも深く浸みました。ほんとにそうだよなと思った。

アメリカの場合はたしかに先行する「理念」があって、それに基づいて国のかたちが整えられたという歴史的経緯があります。でも、同じことは、程度の差はあれ、他の国々や集団についても言えるんじゃないでしょうか。「日本というのはひとつのアイディアなんだよ」でも「中国というのはひとつのアイディアなんだよ」でも言えそうな気がします。

僕たち日本人は日本という国がどういうものであるべきかについて、ぼんやりした「アイディア」を集団的に共有している。ただし、それはとても「ぼんやり」したものなので、自分たちがそんなアイディアを参照しながら国のかたちを整えているということにふだんは気がつかない。でも、百年、二百年という長いタイムスパンの中で俯瞰してみると、そこにありありと「日本というアイディア」が浮かび上がってくる。そして、個別的に見た時には「どうしてこんなことをしたのか、意味がわからない」という集団的なふるまいが「ああ、これって、『そういうこと』だったのか」と腑に落ちるということがある。

そんなふうに変容しながら繰り返し再帰してきて、その集団を無意識的に方向づけるもののことを「アイディア」と僕は呼ぼうとしているわけです。そして、僕が政治史について一番興味があるのはそれぞれの政治単位における「アイディア」を見出すことなんです。「自分たちの集団はこの世界において、人類史において、どのような果たすべきミッションを託されているのか」という自己規定は政治的ふるまいにしばしば決定的な影響力を及ぼします。そして、私見によれば、ある集団において最も強い指南力を持つミッションは「ミッション・インポシブル」なんです。「不可能な使命」。これまでにうまくやり遂げてきたこと、それについて十分な経験知を持っていることは「ミッション」になりません。

これまで実現しようとしてついに実現できなかったことが最も強い指南力を発揮する。そういうものではないかと思います。

フランス語の文法用語で épithète de nature というものがあります。「本来的形容辞」と訳されますけれど、その名詞に本来具わっている性質を表す形容詞（だから、本来なら必要のない形容詞）のことです。blanche neige「白い雪」とか caillou dur「硬い石ころ」とか。misson impossible における「不可能な」という形容詞は、この「本来的形容辞」ではないかという気がします。つまり、実現することが困難であり、これまで繰り返し挫折してきた「使命」にこそ最も強く集団を牽引する力がある。その「使命」はこれまで一度も完全なかたちでは実現したことがありません。だから、歴史的事実としては存在しない。でも、この「かつて一度も現在になったことのない過去」（これはエマニュエル・レヴィナスの言葉です）が人間たちを集団的にとりまとめ、集団的に導いてゆく。

僕には何となくそんなふうに思えるのです。僕が政治を語る時に、「アイディア」とか「ミッション」ということにこだわるのは、そういう仮説を立てているからなんです。

とりとめのない話になってしまって済みません。「あとがき」はこの辺にしておきます。

続きはまた今度。

姜さんとのこの対談シリーズはオープンエンドですから、これからも定期的に続けてゆきたいと思っています。姜さん、どうぞよろしくお願い致します。

最後になりましたけれど、姜さんとの対談の機会を設定してくださり、編集の労をとってくださった集英社新書編集部の伊藤直樹さん、石戸谷奎さん他、みなさんに御礼を申し上げます。ありがとうございました。

内田 樹（うちだ たつる）

一九五〇年東京都生まれ。神戸女学院大学名誉教授。思想家。著書に『日本辺境論』（新潮新書）、『私家版・ユダヤ文化論』（文春新書）、共著に『一神教と国家』『善く死ぬための身体論』（ともに集英社新書）他多数。

姜尚中（カン サンジュン）

一九五〇年熊本県生まれ。東京大学名誉教授。政治学者。著書に『悩む力』『朝鮮半島と日本の未来』、内田との共著に『世界「最終」戦争論』『アジア辺境論』（いずれも集英社新書）他多数。

新世界秩序と日本の未来

米中の狭間でどう生きるか

集英社新書一〇七四A

二〇二一年七月二一日 第一刷発行

著者……内田 樹／姜尚中

発行者……樋口尚也

発行所……株式会社集英社

東京都千代田区一ツ橋二-五-一〇 郵便番号一〇一-八〇五〇

電話 〇三-三二三〇-六三九一（編集部）

〇三-三二三〇-六〇八〇（読者係）

〇三-三二三〇-六三九三（販売部）書店専用

装幀……原 研哉

印刷所……凸版印刷株式会社

製本所……加藤製本株式会社

定価はカバーに表示してあります。

ISBN 978-4-08-721174-0 C0231 Printed in Japan

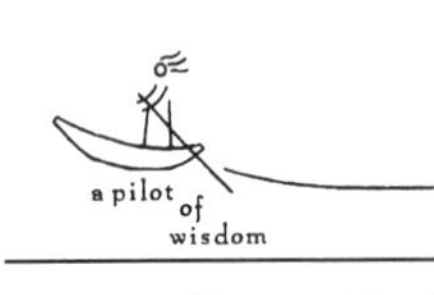

集英社新書　好評既刊

MotoGP　最速ライダーの肖像
西村　章　1064-H
モーターレーシングの最高峰、MotoGP。命懸けのレースに参戦した一二人のライダーの姿を描きだす。

スポーツする人の栄養・食事学
樋口　満　1065-I
「スポーツ栄養学」の観点から、より良い結果を出すための栄養・食事術をQ&A形式で解説する。

職業としてのシネマ
髙野てるみ　1066-F
ミニシアター・ブームをつくりあげた立役者の一人である著者が、映画業界の仕事の裏側を伝える。

免疫入門　最強の基礎知識
遠山祐司　1067-I
免疫にまつわる疑問をQ&A形式でわかりやすく解説。基本情報から最新情報までを網羅する。

世界の凋落を見つめて　クロニクル2011-2020
四方田犬彦　1068-B
東日本大震災・原発事故の二〇一一年からコロナ禍の二〇二〇年までを記録した「激動の時代」のコラム集。

ある北朝鮮テロリストの生と死　証言・ラングーン事件
羅鍾一／永野慎一郎・訳　1069-N〈ノンフィクション〉
全斗煥韓国大統領を狙った「ラングーン事件」実行犯の証言から、事件の全貌と南北関係の矛盾に迫る。

「自由」の危機　――息苦しさの正体
藤原辰史／内田　樹　他　1070-B
二六名の論者たちが「自由」について考察し、理不尽な権力の介入に対して異議申し立てを行う。

リニア新幹線と南海トラフ巨大地震　「超広域大震災」にどう備えるか
石橋克彦　1071-G
活断層の密集地帯を走るリニア中央新幹線がもたらす危険性を地震学の知見から警告する。

演劇入門　生きることは演じること
鴻上尚史　1072-F
演劇は「同調圧力」を跳ね返す技術になりうる。他者とともに生きる感性を育てる方法を説く指南書。

落合博満論
ねじめ正一　1073-H
天才打者にして名監督、魅力の淵源はどこにあるのか？　理由を知るため、作家が落合の諸相を訪ね歩く。